KB101575

#3주_완성
#쉽게
#빠르게
#재미있게

초등
수학 전략

Chunjae
Makes
Chunjae

▼

[수학 전략]

기획총괄	김안나
편집개발	이근우, 김정희, 서진호, 한인숙, 김현주, 최수정, 김혜민, 박웅, 김정민
디자인총괄	김희정
표지디자인	윤순미, 안채리
내지디자인	박희춘
제작	황성진, 조규영

발행일	2022년 5월 15일 초판 2022년 5월 15일 1쇄
발행인	(주)천재교육
주소	서울시 금천구 가산로9길 54
신고번호	제2001-000018호
고객센터	1577-0902

※ 이 책은 저작권법에 보호받는 저작물이므로 무단복제, 전송은 법으로 금지되어 있습니다.

※ 정답 분실 시에는 천재교육 교재 홈페이지에서 내려받으세요.

※ KC 마크는 이 제품이 공통안전기준에 적합하였음을 의미합니다.

※ 주의

　책 모서리에 다칠 수 있으니 주의하시기 바랍니다.

　부주의로 인한 사고의 경우 책임지지 않습니다.

　8세 미만의 어린이는 부모님의 관리가 필요합니다.

수학
전략

초등 수학 **1·2**

핵심 개념

단원별로 꼭 필요한 핵심 개념을 만화를 보면서
재미있게 익힐 수 있도록 하였습니다.

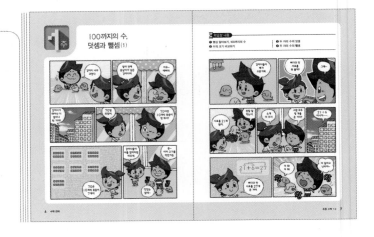

개념 돌파 전략❶, ❷

개념 돌파 전략❶에서는 단원별로
기본적인 개념을 설명하고 개념의 기초를 확인하는
문제를 제시하였습니다.
개념 돌파 전략❷에서는 기본적인 개념을 알고 있는지
문제로 확인할 수 있습니다.

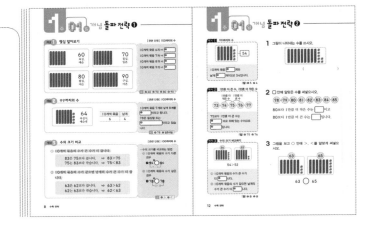

필수 체크 전략❶, ❷

필수 체크 전략❶에서는 단원별로
중요한 유형을 선택하여 반복 연습할 수 있도록
하였습니다.
필수 체크 전략❷에서는 추가적으로
중요한 유형을 선택하여 문제로 확인할 수 있도록
하였습니다.

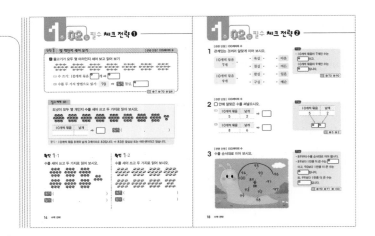

교과서 대표 전략❶, ❷

교과서 대표 전략❶에서는 단원별로 교과서에 나오는
대표적인 문제를 제시하였습니다.
교과서 대표 전략❷에서는 한 번 더 확인할 수 있는
문제를 제시하였습니다.

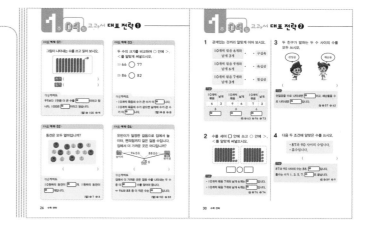

누구나 만점 전략
창의 · 융합 · 코딩 전략❶, ❷

누구나 만점 전략에서는 단원별로 꼭 풀어야 하는
문제를 제시하여 누구나 만점을 받을 수 있도록 하였습니다.
창의•융합•코딩 전략에서는 새 교육과정에서 제시하는
창의, 융합, 코딩 문제를 쉽게 접근할 수 있도록
제시하였습니다.

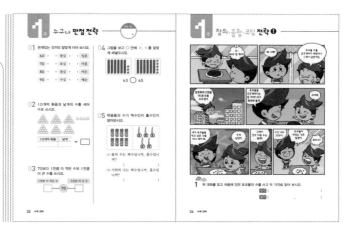

권말정리 마무리 전략
신유형 · 신경향 · 서술형 전략
학력진단 전략 1~3회

권말정리 마무리 전략은 만화로
마무리할 수 있게 하였습니다.
신유형•신경향•서술형 전략에서는
신유형, 신경향, 서술형 문제를 쉽게 풀 수
있도록 단계별로 제시하였습니다.
학력진단 전략은 총 3회로 전 단원의 학력을
진단할 수 있도록 구성하였습니다.

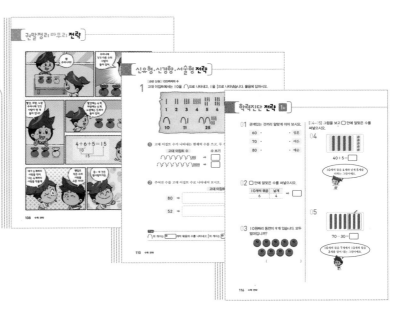

이 책의 **차 례**

[관련 단원]
100까지의 수 · 덧셈과 뺄셈(1) 6쪽

01일 개념 돌파 전략 ❶ ················· 8~11쪽
　　　 개념 돌파 전략 ❷ ················· 12~13쪽

02일 필수 체크 전략 ❶ ················· 14~17쪽
　　　 필수 체크 전략 ❷ ················· 18~19쪽

03일 필수 체크 전략 ❶ ················· 20~23쪽
　　　 필수 체크 전략 ❷ ················· 24~25쪽

04일 교과서 대표 전략 ❶ ················· 26~29쪽
　　　 교과서 대표 전략 ❷ ················· 30~31쪽

누구나 만점 전략 ················· 32~33쪽
창의·융합·코딩 전략 ❶ ················· 34~35쪽
창의·융합·코딩 전략 ❷ ················· 36~39쪽

[관련 단원]
덧셈과 뺄셈(2) · 덧셈과 뺄셈(3) 40쪽

01일 개념 돌파 전략 ❶ ················· 42~45쪽
　　　 개념 돌파 전략 ❷ ················· 46~47쪽

02일 필수 체크 전략 ❶ ················· 48~51쪽
　　　 필수 체크 전략 ❷ ················· 52~53쪽

03일 필수 체크 전략 ❶ ················· 54~57쪽
　　　 필수 체크 전략 ❷ ················· 58~59쪽

04일 교과서 대표 전략 ❶ ················· 60~63쪽
　　　 교과서 대표 전략 ❷ ················· 64~65쪽

누구나 만점 전략 ················· 66~67쪽
창의·융합·코딩 전략 ❶ ················· 68~69쪽
창의·융합·코딩 전략 ❷ ················· 70~73쪽

[관련 단원]

여러 가지 모양 · 시계 보기와 규칙 찾기   74쪽

01일 개념 돌파 전략 ❶ ·············· 76~79쪽
          개념 돌파 전략 ❷ ·············· 80~81쪽

02일 필수 체크 전략 ❶ ·············· 82~85쪽
          필수 체크 전략 ❷ ·············· 86~87쪽

03일 필수 체크 전략 ❶ ·············· 88~91쪽
          필수 체크 전략 ❷ ·············· 92~93쪽

04일 교과서 대표 전략 ❶ ·············· 94~97쪽
          교과서 대표 전략 ❷ ·············· 98~99쪽

누구나 만점 전략 ··························· 100~101쪽
창의·융합·코딩 전략 ❶ ··············· 102~103쪽
창의·융합·코딩 전략 ❷ ··············· 104~107쪽

108쪽

권말정리 마무리 전략 ··············· 108~109쪽
신유형·신경향·서술형 전략 ··············· 110~115쪽

학력진단 전략 ┬ 1회 ··············· 116~119쪽
             ├ 2회 ··············· 120~123쪽
             └ 3회 ··············· 124~127쪽

100까지의 수, 덧셈과 뺄셈(1)

학습할 내용

❶ 몇십 알아보기, 100까지의 수
❷ 수의 크기 비교하기

❸ 두 자리 수의 덧셈
❹ 두 자리 수의 뺄셈

개념 ① 몇십 알아보기

[관련 단원] 100까지의 수

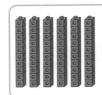
60
육십,
예순

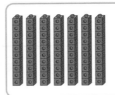
70
칠십,
일흔

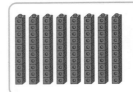
80
팔십,
여든

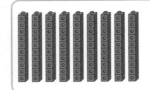
90
구십,
아흔

10개씩 묶음 6개 ➡ **❶** ☐
10개씩 묶음 7개 ➡ **❷** ☐
10개씩 묶음 8개 ➡ **❸** ☐
10개씩 묶음 9개 ➡ **❹** ☐

답 **❶** 60 **❷** 70 **❸** 80 **❹** 90

개념 ② 99까지의 수

[관련 단원] 100까지의 수

64
육십사,
예순넷

10개씩 묶음	낱개
6	4

10개씩 묶음 7개와 낱개 8개를
❶ ☐ 이라고 합니다.
78은 칠십팔 또는
❷ ☐ 이라고 읽습
니다.

답 **❶** 78 **❷** 일흔여덟

개념 ③ 수의 크기 비교

[관련 단원] 100까지의 수

① 10개씩 묶음의 수가 큰 수가 더 큽니다.

83은 75보다 큽니다. ➡ 83>75
75는 83보다 작습니다. ➡ 75<83

② 10개씩 묶음의 수가 같으면 낱개의 수가 큰 수가 더 큽니다.

63은 62보다 큽니다. ➡ 63>62
62는 63보다 작습니다. ➡ 62<63

• 수의 크기를 비교하는 방법
① 10개씩 묶음의 수가 다른 경우
예 94 **❶**◯ 66
⌐9>6⌐
② 10개씩 묶음의 수가 같은 경우
예 73 **❷**◯ 78
⌐3<8⌐

답 **❶** > **❷** <

1-1 사과를 10개씩 묶어 세어 수로 쓰시오.

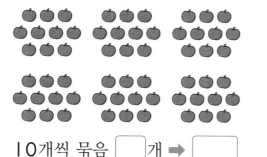

10개씩 묶음 ☐ 개 ➡ ☐

• **풀이** • 10개씩 묶음이 ❶ ☐ 개이므로 ❷ ☐ 입니다.

답 ❶ 6 ❷ 60

1-2 귤을 10개씩 묶어 세어 수로 쓰시오.

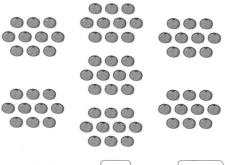

10개씩 묶음 ☐ 개 ➡ ☐

-1 주

2-1 ☐ 안에 알맞은 수를 써넣으시오.

10개씩 묶음 ☐ 개와 낱개 ☐ 개를

☐ (이)라고 합니다.

• **풀이** • 10개씩 묶음이 ❶ ☐ 개이고 낱개가 ❷ ☐ 개이므로

❸ ☐ 입니다.

답 ❶ 8 ❷ 3 ❸ 83

2-2 ☐ 안에 알맞은 수를 써넣으시오.

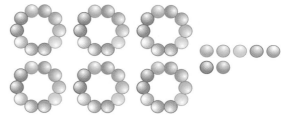

10개씩 묶음 ☐ 개와 낱개 ☐ 개를

☐ (이)라고 합니다.

3-1 모형을 보고 더 큰 수에 ○표 하시오.

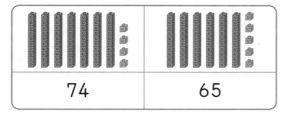

| 74 | 65 |

• **풀이** • 10개씩 묶음의 수가 큰 수가 더 ❶ ☐ 니다.

따라서 더 큰 수는 ❷ ☐ 입니다.

답 ❶ 큽 ❷ 74

3-2 모형을 보고 더 큰 수에 ○표 하시오.

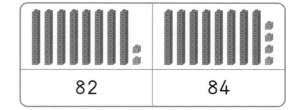

| 82 | 84 |

개념 4 **덧셈하기**

[관련 단원] 덧셈과 뺄셈(1)

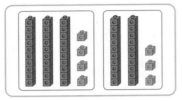 →

$$34+23=57$$

	3	4
+	2	3

줄을 맞추어
씁니다.

	3	**4**
+	2	**3**
		7

낱개끼리
더합니다.
$4+3=7$

	3	4
+	**2**	3
	5	7

10개씩 묶음끼리
더합니다.
$3+2=5$

· 45+12의 계산
① 낱개끼리 더하면
$5+2=$ ❶ 입니다.
② 10개씩 묶음끼리 더하면
$4+1=$ ❷ 입니다.
③ $45+12=$ ❸

낱개끼리,
10개씩 묶음끼리
더해요.

답 ❶ 7 ❷ 5 ❸ 57

개념 5 **뺄셈하기**

[관련 단원] 덧셈과 뺄셈(1)

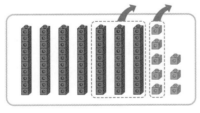 →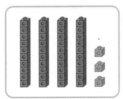

$$78-35=43$$

	7	8
−	3	5

줄을 맞추어
씁니다.

	7	**8**
−	3	**5**
		3

낱개끼리
뺍니다.
$8-5=3$

	7	8
−	**3**	5
	4	3

10개씩 묶음끼리
뺍니다.
$7-3=4$

· 67−43의 계산
① 낱개끼리 빼면
$7-3=$ ❶ 입니다.
② 10개씩 묶음끼리 빼면
$6-4=$ ❷ 입니다.
③ $67-43=$ ❸

낱개끼리,
10개씩 묶음끼리
빼요.

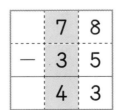

답 ❶ 4 ❷ 2 ❸ 24

4-1 ☐ 안에 알맞은 수를 써넣으시오.

(1)

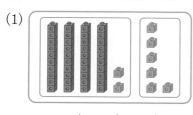

$$\begin{array}{r} 4\ 2 \\ +\ \ \ 6 \\ \hline \square\ \square \end{array}$$

(2)

$$\begin{array}{r} 6\ 7 \\ -\ \ \ 3 \\ \hline \square\ \square \end{array}$$

4-2 ☐ 안에 알맞은 수를 써넣으시오.

(1)

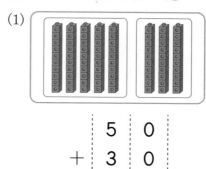

$$\begin{array}{r} 5\ 0 \\ +\ 3\ 0 \\ \hline \square\ \square \end{array}$$

(2)

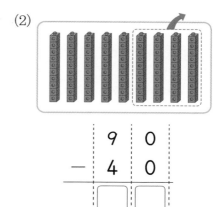

$$\begin{array}{r} 9\ 0 \\ -\ 4\ 0 \\ \hline \square\ \square \end{array}$$

• **풀이** • (1) 낱개끼리 더하면 $2+6=$ ❶☐ 이고, 10개씩 묶음은 그대로 4입니다.

(2) 낱개끼리 빼면 $7-3=$ ❷☐ 이고, 10개씩 묶음은 그대로 6입니다.

🔒 ❶ 8 ❷ 4

5-1 계산을 하시오.

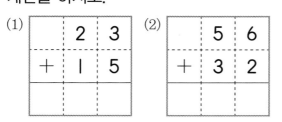

5-2 계산을 하시오.

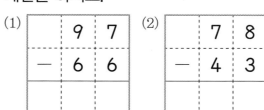

• **풀이** • 낱개는 ❶☐ 끼리, 10개씩 묶음은 ❷☐ 개씩 묶음끼리 더합니다.

🔒 ❶ 낱개 ❷ 10

예제 1 99까지의 수

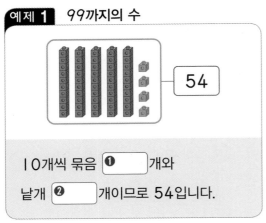

10개씩 묶음 ❶ [ ]개와

낱개 ❷ [ ]개이므로 54입니다.

[답] ❶ 5 ❷ 4

예제 2 1만큼 더 큰 수, 1만큼 더 작은 수

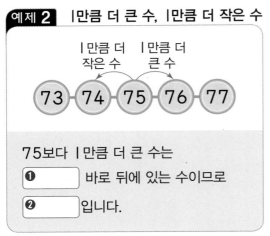

75보다 1만큼 더 큰 수는

❶ [ ] 바로 뒤에 있는 수이므로

❷ [ ]입니다.

[답] ❶ 75 ❷ 76

예제 3 수의 크기 비교하기

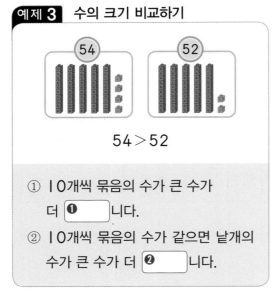

54 > 52

① 10개씩 묶음의 수가 큰 수가

더 ❶ [ ]니다.

② 10개씩 묶음의 수가 같으면 낱개의

수가 큰 수가 더 ❷ [ ]니다.

[답] ❶ 큽 ❷ 큽

1 그림이 나타내는 수를 쓰시오.

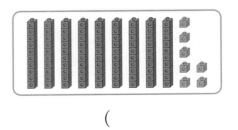

(   )

2 ☐ 안에 알맞은 수를 써넣으시오.

80보다 1만큼 더 작은 수는 [ ]이고

80보다 1만큼 더 큰 수는 [ ]입니다.

3 그림을 보고 ○ 안에 >, <를 알맞게 써넣으시오.

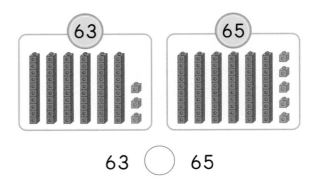

63 ○ 65

예제 4 (몇십몇)+(몇), (몇십몇)−(몇)

	6	2
+		4
	6	6

	8	9
−		4
	8	5

낱개는 **❶**□□ 끼리 줄을 맞추어 더하거나 빼고, 10개씩 묶음은 **❷**□□ 내려 씁니다.

[답] ❶ 낱개 ❷ 그대로

4 계산을 하시오.

(1)
	4	7
+		2
	□	□

(2)
	7	6
−		3
	□	□

(3) 63+5

(4) 38−4

예제 5 (몇십)+(몇십), (몇십)−(몇십)

	3	0
+	2	0
	5	0

	7	0
−	4	0
	3	0

낱개의 수는 항상 **❶**□□ 이고 10개씩 묶음은 10개씩 **❷**□□ 끼리 더하거나 뺍니다.

[답] ❶ 0 ❷ 묶음

5 계산 결과를 찾아 선으로 이어 보시오.

50+30 ·   · 40

20+40 ·   · 60

70−30 ·   · 80

예제 6 (몇십몇)+(몇십몇), (몇십몇)−(몇십몇)

	3	4
+	2	2
	5	6

	9	6
−	5	3
	4	3

낱개는 **❶**□□ 끼리, 10개씩 묶음은 10개씩 **❷**□□ 끼리 더하거나 뺍니다.

[답] ❶ 낱개 ❷ 묶음

6 빈 곳에 알맞은 수를 써넣으시오.

(1)
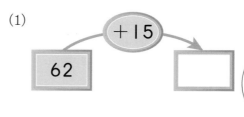
62 →(+15)→ □

(2)
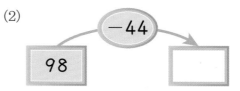
98 →(−44)→ □

낱개는 낱개끼리, 10개씩 묶음은 10개씩 묶음끼리 계산해요.

전략 1 몇 개인지 세어 보기 [관련 단원] 100까지의 수

📖 물고기가 모두 몇 마리인지 세어 보고 읽어 보기

(1) 수 쓰기: 10개씩 묶음 [❶] 개 ➡ [❷]

(2) 수를 두 가지 방법으로 읽기: 70 ➡ 읽기 칠십, [❸]

답 ❶ 7 ❷ 70 ❸ 일흔

필수 예제 01

도넛이 모두 몇 개인지 수를 세어 쓰고 두 가지로 읽어 보시오.

10개씩 묶음	낱개

➡ [ ] 읽기 (,)

풀이 | 10개씩 묶음 8개와 낱개 3개이므로 83입니다. ➡ 83은 팔십삼 또는 여든셋이라고 읽습니다.

확인 1-1

수를 세어 쓰고 두 가지로 읽어 보시오.

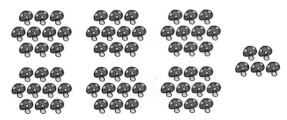

쓰기 ( )

읽기 (,)

확인 1-2

수를 세어 쓰고 두 가지로 읽어 보시오.

쓰기 ( )

읽기 (,)

전략 **2** 수의 순서 알아보기

[관련 단원] 100까지의 수

예 55부터 65까지의 수

(1) 60보다 l만큼 더 작은 수, 60보다 l만큼 더 큰 수 알아보기

60보다 l만큼 더 작은 수는 [❶　　　　]이고, l만큼 더 큰 수는 [❷　　　　]입니다.

(2) 수를 순서대로 써넣기

답 | ❶ 59 ❷ 61 ❸ 64

필수 예제 | 02 |

72부터 85까지 수를 순서대로 써넣으시오.

풀이 | 75보다 l만큼 더 작은 수는 74이고, l만큼 더 큰 수는 76입니다.
80보다 l만큼 더 작은 수는 79이고, l만큼 더 큰 수는 81입니다.
83보다 l만큼 더 작은 수는 82이고, l만큼 더 큰 수는 84입니다.

확인 **2**-1

수를 순서대로 써넣으시오.

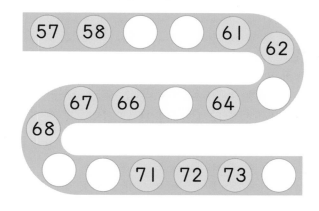

확인 **2**-2

수를 순서대로 써넣으시오.

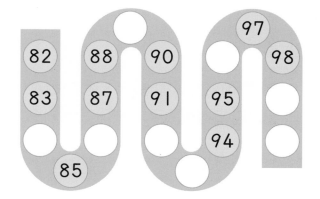

전략 3 그림을 보고 식으로 나타내기

[관련 단원] 덧셈과 뺄셈(1)

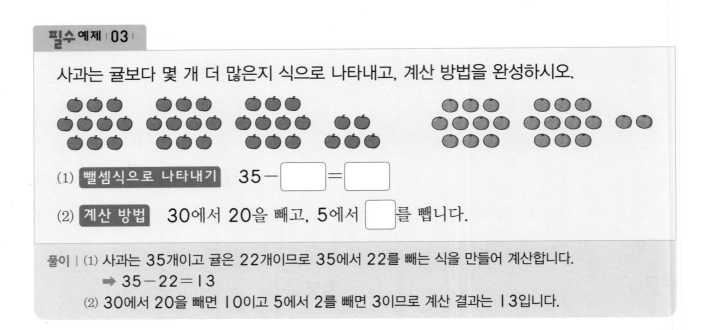

예 우유가 모두 몇 개인지 알아보기

→ 딸기우유 24개

→ 초코우유 13개

덧셈식으로 나타내기   24+13=❶ [   ]   또는 13+24=❶ [   ]

계산 방법   20과 10을 더하고, 4와 ❷ [   ]을 더합니다.

답 ❶ 37 ❷ 3

필수 예제 03

사과는 귤보다 몇 개 더 많은지 식으로 나타내고, 계산 방법을 완성하시오.

(1) **뺄셈식으로 나타내기**   35 − [   ] = [   ]

(2) **계산 방법**   30에서 20을 빼고, 5에서 [   ]를 뺍니다.

풀이 | (1) 사과는 35개이고 귤은 22개이므로 35에서 22를 빼는 식을 만들어 계산합니다.
➡ 35−22=13
(2) 30에서 20을 빼면 10이고 5에서 2를 빼면 3이므로 계산 결과는 13입니다.

확인 3-1

위의 전략3 에서 딸기우유는 초코우유보다 몇 개 더 많은지 뺄셈식으로 나타내어 보시오.

식 [   ] − [   ] = [   ]

확인 3-2

위의 필수 예제 03 에서 사과와 귤은 모두 몇 개 인지 덧셈식으로 나타내어 보시오.

식 [   ] + [   ] = [   ]

전략 4 모형이 나타내는 수보다 ■만큼 더 큰 수 구하기 [관련 단원] 덧셈과 뺄셈(1)

예 모형이 나타내는 수보다 12만큼 더 큰 수 구하기

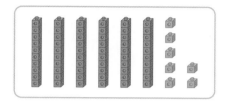

■만큼 더 큰 수는 덧셈을 해야 해요.

10개씩 묶음이 6개이고 낱개가 7개예요.

(1) 모형이 나타내는 수 구하기: 10개씩 묶음이 6개, 낱개 7개 ➡ ❶ [　　　]

(2) 모형이 나타내는 수보다 12만큼 더 큰 수 구하기: ❶ [　　　] + 12 = ❷ [　　　]
　　　　　　　　　　　　　　　　　　　　└▶모형이 나타내는 수

답 ❶ 67 ❷ 79

필수 예제 04

모형이 나타내는 수보다 25만큼 더 큰 수를 구하시오.

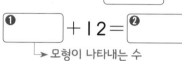

[　　　] + 25 = [　　　]
└▶모형이 나타내는 수

풀이 | 모형이 나타내는 수는 10개씩 묶음이 7개, 낱개가 4개이므로 74입니다.
➡ 모형이 나타내는 수보다 25만큼 더 큰 수는 74 + 25 = 99입니다.

확인 4-1

모형이 나타내는 수보다 31만큼 더 큰 수를 구하시오.

(　　　　　　)

확인 4-2

모형이 나타내는 수보다 44만큼 더 큰 수를 구하시오.

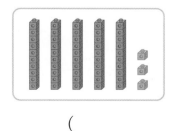

(　　　　　　)

[관련 단원] 100까지의 수

1 관계있는 것끼리 알맞게 이어 보시오.

| 10개씩 묶음 7개 | · |
| 10개씩 묶음 9개 | · |

· 육십 ·
· 칠십 ·
· 팔십 ·
· 구십 ·

· 아흔
· 여든
· 일흔
· 예순

Tip
· 10개씩 묶음이 7개인 수는
❶ □ 이고,
10개씩 묶음이 9개인 수는
❷ □ 입니다.

답 ❶ 70 ❷ 90

[관련 단원] 100까지의 수

2 □ 안에 알맞은 수를 써넣으시오.

(1)

10개씩 묶음	낱개
5	2

➡ □

(2)

10개씩 묶음	낱개
8	6

➡ □

Tip

10개씩 묶음	낱개
5	2

❶ □ ❷ □

답 ❶ 5 ❷ 2

[관련 단원] 100까지의 수

3 수를 순서대로 이어 보시오.

Tip
· 89부터 수를 순서대로 이어 봅니다.
· 89보다 1만큼 더 큰 수는 ❶ □
이고, 90보다 1만큼 더 큰 수는
❷ □ 입니다.
또, 99보다 1만큼 더 큰 수는
❸ □ 입니다.

답 ❶ 90 ❷ 91 ❸ 100

[관련 단원] **덧셈과 뺄셈**(1)

4 빨간색 색종이가 34장, 파란색 색종이가 22장 있습니다. 색종이는 모두 몇 장인지 식을 쓰고 답을 구하시오.

식 _____

답 _____

> **Tip**
> • 빨간색 색종이 수 ❶ [ ] 장과 파란색 색종이 수 ❷ [ ] 장을 더합니다.
>
> 답 ❶ 34 ❷ 22

[관련 단원] **덧셈과 뺄셈**(1)

5 ❶꽃밭에 꿀벌이 48마리, 나비가 15마리 있습니다. ❷꿀벌은 나비보다 몇 마리 더 많은지 식을 쓰고 답을 구하시오.

식 _____

답 _____

> **Tip**
> ❶ 꿀벌이 나비보다 더 ❶ [ ] 습니다.
> ❷ 꿀벌의 수에서 ❷ [ ] 의 수를 뺍니다.
>
> 답 ❶ 많 ❷ 나비

[관련 단원] **덧셈과 뺄셈**(1)

6 합이 가장 큰 것에 ○표 하시오.

36+2	20+20	14+23
( )	( )	( )

> **Tip**
>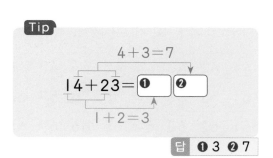
>
> 답 ❶ 3 ❷ 7

전략 1 짝수, 홀수 찾기
[관련 단원] 100까지의 수

예 짝수가 모두 몇 개인지 알아보기

| 31 | 32 | 33 | 34 | 35 | 36 | 37 | 38 | 39 | 40 |

(1) 짝수 알아보기

2, 4, 6, 8, 10과 같이 둘씩 짝을 지을 수 있는 수를 [❶   ]라고 합니다.

(2) 주어진 수에서 짝수 찾기

주어진 수에서 짝수는 32, 34, 36, [❷   ], [❸   ]입니다.

➡ 짝수는 모두 [❹   ]개입니다.

답 ❶ 짝수 ❷ 38 ❸ 40 ❹ 5

필수예제 | 01 |

홀수는 모두 몇 개입니까?

| 31 | 32 | 33 | 34 | 35 | 36 | 37 | 38 | 39 | 40 |

(   )

풀이 | 1, 3, 5, 7, 9와 같이 둘씩 짝을 지을 수 없는 수를 홀수라고 합니다.
주어진 수에서 홀수는 31, 33, 35, 37, 39입니다. ➡ 홀수는 모두 5개입니다.

확인 1-1

짝수는 모두 몇 개입니까?

41	42	43	44	45	46	47	48	49	50
51	52	53	54	55	56	57	58	59	60
61	62	63	64	65	66	67	68	69	70

(   )

확인 1-2

홀수는 모두 몇 개입니까?

71	72	73	74	75	76	77	78	79	80
81	82	83	84	85	86	87	88	89	90
91	92	93	94	95	96	97	98	99	100

(   )

전략 ❷ 두 수 사이의 수 　　　　　　[관련 단원] 100까지의 수

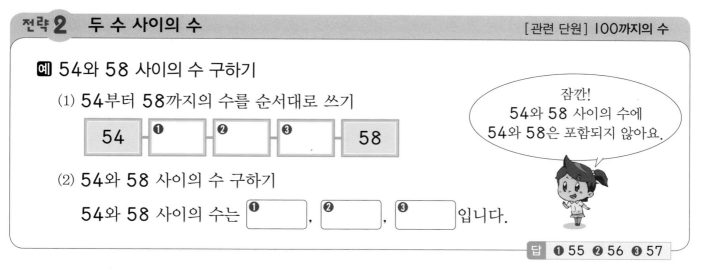

예 54와 58 사이의 수 구하기

(1) 54부터 58까지의 수를 순서대로 쓰기

54 ─ ❶☐ ─ ❷☐ ─ ❸☐ ─ 58

잠깐!
54와 58 사이의 수에
54와 58은 포함되지 않아요.

(2) 54와 58 사이의 수 구하기

54와 58 사이의 수는 ❶☐, ❷☐, ❸☐입니다.

답 ❶ 55 ❷ 56 ❸ 57

필수 예제 02

서연이와 준우가 말하는 두 수 사이의 수를 모두 쓰시오.

72 　　　서연　　　　준우　　　 78

(　　　　　　　　　　　　　　　　)

풀이 | 72부터 78까지의 수를 순서대로 쓰면 72, 73, 74, 75, 76, 77, 78입니다.

➡ 72와 78 사이의 수는 73, 74, 75, 76, 77입니다.

확인 2-1

● 가 될 수 있는 수는 모두 몇 개입니까?

●는 93과 100
사이의 수입니다.

(　　　　　　　　)

확인 2-2

■ 가 될 수 있는 수는 모두 몇 개입니까?

■는 65와 75
사이의 수입니다.

(　　　　　　　　)

전략 3 계산을 하고, 다음에 올 식 구하기   [관련 단원] 덧셈과 뺄셈(1)

예 덧셈을 하고, 다음에 올 덧셈식 구하기

$40+1=\boxed{}$
$40+2=\boxed{}$
$40+3=\boxed{}$

(1) 덧셈하기: $40+1=\boxed{❶}$
$40+2=\boxed{❷}$
$40+3=\boxed{❸}$

→ 더해지는 수
$40+1=\boxed{}$
$40+2=\boxed{}$
$40+3=\boxed{}$
← 더하는 수

(2) 다음에 올 덧셈식 구하기: 더해지는 수는 같고 더하는 수는

1씩 커지므로 다음에 올 덧셈식은 $40+\boxed{❹}=\boxed{❺}$입니다.

답 ❶ 41 ❷ 42 ❸ 43 ❹ 4 ❺ 44

필수 예제 03

뺄셈을 하고, 다음에 올 뺄셈식을 알아보시오.

$68-22=\boxed{}$
$68-23=\boxed{}$
$68-24=\boxed{}$

→ 빼지는 수는 같고 빼는 수는

$\boxed{}$씩 커지므로 다음에 올 뺄셈식은

$68-\boxed{}=\boxed{}$입니다.

→ 빼지는 수
$68-22=\boxed{}$
$68-23=\boxed{}$
$68-24=\boxed{}$
← 빼는 수

풀이 | 빼지는 수는 같고 빼는 수는 1씩 커집니다. ➡ 다음에 올 뺄셈식은 $68-25=43$입니다.

확인 3-1

덧셈을 하고, 다음에 올 덧셈식을 써 보시오.

$13+35=\boxed{}$
$13+34=\boxed{}$
$13+33=\boxed{}$

식 _____

확인 3-2

뺄셈을 하고, 다음에 올 뺄셈식을 써 보시오.

$57-37=\boxed{}$
$57-36=\boxed{}$
$57-35=\boxed{}$

식 _____

전략 **4** ☐ 안에 알맞은 수 구하기

예 덧셈식에서 ☐ 안에 알맞은 수 구하기

$$\begin{array}{r} ㉠\ 4 \\ +\ 3\ ㉡ \\ \hline 5\ 9 \end{array}$$

낱개는 낱개끼리, 10개씩 묶음은 10개씩 묶음끼리 더해요.

(1) 낱개끼리 더하기: $4+㉡=9 \Rightarrow ㉡=$ **❶**

(2) 10개씩 묶음끼리 더하기: $㉠+3=5 \Rightarrow ㉠=$ **❷**

답 ❶ 5 ❷ 2

필수예제 |04|

덧셈식과 뺄셈식에서 ☐ 안에 알맞은 수를 써넣으시오.

(1)
$$\begin{array}{r} 5\ \square \\ +\ \square\ 2 \\ \hline 6\ 5 \end{array}$$

(2)
$$\begin{array}{r} \square\ 8 \\ -\ 4\ \square \\ \hline 3\ 4 \end{array}$$

풀이 | (1) 낱개끼리 계산: $\square+2=5 \Rightarrow \square=3$

10개씩 묶음끼리 계산: $5+\square=6$

$\Rightarrow \square=1$

(2) 낱개끼리 계산: $8-\square=4 \Rightarrow \square=4$

10개씩 묶음끼리 계산: $\square-4=3$

$\Rightarrow \square=7$

확인 **4**-1

☐ 안에 알맞은 수를 써넣으시오.

$$\begin{array}{r} 3\ 6 \\ +\ \square\ \square \\ \hline 8\ 8 \end{array}$$

확인 **4**-2

☐ 안에 알맞은 수를 써넣으시오.

$$\begin{array}{r} 5\ \square \\ -\ \square\ 8 \\ \hline 2\ 1 \end{array}$$

[관련 단원] 100까지의 수

1 10원짜리 동전이 7개 있습니다. 모두 얼마입니까?

( )

Tip
· 10원짜리 동전이 ❶ 개 있습니다.
➡ 10개씩 묶음이 7개이면 ❷ 입니다.
답 ❶ 7 ❷ 70

[관련 단원] 100까지의 수

2 가장 큰 수에 ○표 하시오.

(1)

| 59 | 63 | 84 |

(2)

| 96 | 77 | 91 |

Tip
· 수의 크기 비교
① 10개씩 묶음의 수가 큰 수가 더 ❶ 니다.
② 10개씩 묶음의 수가 같으면 낱개의 수가 큰 수가 더 ❷ 니다.
답 ❶ 큽 ❷ 큽

[관련 단원] 100까지의 수

3 ☐ 안에 알맞은 수를 써넣으시오.

(1)

10개씩 묶음	낱개
6	13

➡ ☐

(2)

10개씩 묶음	낱개
7	18

➡ ☐

Tip
· 낱개 13개는 10개씩 묶음 1개와 낱개 ❶ 개입니다.
· 낱개 18개는 10개씩 묶음 ❷ 개와 낱개 8개입니다.
답 ❶ 3 ❷ 1

[관련 단원] **덧셈과 뺄셈**(1)

4 ☐ 안에 알맞은 수를 써넣으시오.

(1)

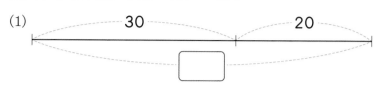

30   20

(2)

67

45

Tip
(1) ☐ 안의 수는 30과 **❶** 을 더한 수입니다.
(2) ☐ 안의 수는 67에서 **❷** 를 뺀 수입니다.

답 ❶ 20 ❷ 45

67에서 45를 빼면 ☐가 돼요.

[관련 단원] **덧셈과 뺄셈**(1)

5 두 수를 골라 차가 40이 되도록 뺄셈식을 쓰시오.

30   40   50   60   70

➡ ☐ − ☐ = 40

Tip
• 3 , 4 , 5 , 6 , 7 중에서 차가 4인 두 수는 **❶** 과 **❷** 입니다.

답 ❶ 3 ❷ 7 또는 ❶ 7 ❷ 3

[관련 단원] **덧셈과 뺄셈**(1)

6 **❶**윤아는 붙임딱지를 26장 모았고 성빈이는 윤아보다 4장 더 적게 모았습니다. **❷**윤아와 성빈이가 모은 붙임딱지는 모두 몇 장입니까?

( )

Tip
❶ (성빈이의 붙임딱지 수)
=(윤아의 붙임딱지 수)−**❶**
❷ 윤아가 모은 붙임딱지 수와 성빈이가 모은 붙임딱지 수를 **❷** 합니다.

답 ❶ 4 ❷ 더

대표 예제 01

그림이 나타내는 수를 쓰고 읽어 보시오.

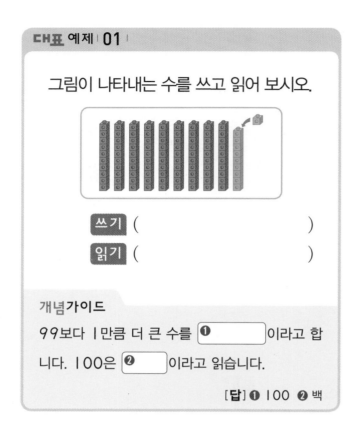

쓰기 ( )

읽기 ( )

개념가이드

99보다 1만큼 더 큰 수를 [❶　　　]이라고 합니다. 100은 [❷　　]이라고 읽습니다.

[답] ❶ 100 ❷ 백

대표 예제 02

동전은 모두 얼마입니까?

( )

개념가이드

10원짜리 동전이 [❶　　]개, 1원짜리 동전이 [❷　　]개입니다.

[답] ❶ 7 ❷ 8

대표 예제 03

두 수의 크기를 비교하여 ○ 안에 >, <를 알맞게 써넣으시오.

(1) 66 ◯ 77

(2) 86 ◯ 82

개념가이드

- 10개씩 묶음의 수가 큰 수가 더 [❶　　]니다.
- 10개씩 묶음의 수가 같으면 낱개의 수가 큰 수가 더 [❷　　]니다.

[답] ❶ 큽 ❷ 큽

대표 예제 04

유빈이가 일정한 걸음으로 집에서 놀이터, 편의점까지 걸은 걸음 수입니다. 집에서 더 가까운 곳은 어디입니까?

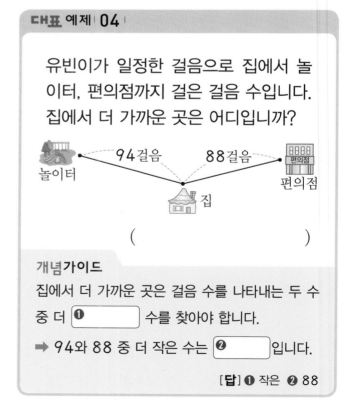

( )

개념가이드

집에서 더 가까운 곳은 걸음 수를 나타내는 두 수 중 더 [❶　　] 수를 찾아야 합니다.

➡ 94와 88 중 더 작은 수는 [❷　　]입니다.

[답] ❶ 작은 ❷ 88

잘할 수 있어!

대표 예제 05

85부터 순서를 거꾸로 하여 빈칸에 알맞은 수를 써넣으시오.

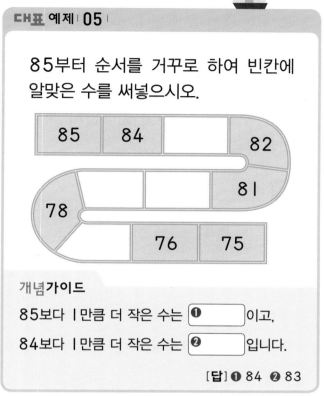

개념가이드

85보다 1만큼 더 작은 수는 ❶[　　]이고,

84보다 1만큼 더 작은 수는 ❷[　　]입니다.

[답] ❶ 84 ❷ 83

대표 예제 06

2장의 수 카드를 모두 한 번씩만 사용하여 만들 수 있는 몇십몇을 모두 쓰시오.

6　**9**

(　　　　　　　　　　　　　)

개념가이드

10개씩 묶음의 수가 6이면 낱개의 수는 ❶[　　]가 될 수 있습니다. 또, 10개씩 묶음의 수가 9이면 낱개의 수는 ❷[　　]이 될 수 있습니다.

[답] ❶ 9 ❷ 6

대표 예제 07

빈칸에 알맞은 수를 써넣으시오.

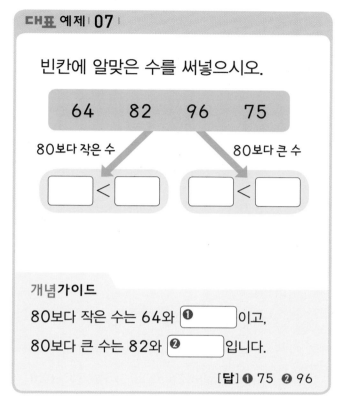

64　　82　　96　　75

80보다 작은 수　　　　　　80보다 큰 수

[　　] < [　　]　　　　[　　] < [　　]

개념가이드

80보다 작은 수는 64와 ❶[　　]이고,

80보다 큰 수는 82와 ❷[　　]입니다.

[답] ❶ 75 ❷ 96

대표 예제 08

건희가 사과를 64개 땄고, 민경이는 78개 땄습니다. 승호는 건희보다 1개 더 적게 땄습니다. 사과를 많이 딴 순서대로 이름을 쓰시오.

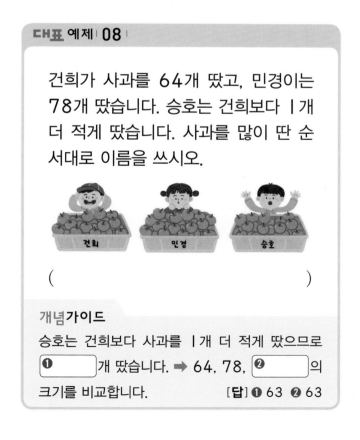

건희　　　민경　　　승호

(　　　　　　　　　　　　　)

개념가이드

승호는 건희보다 사과를 1개 더 적게 땄으므로 ❶[　　]개 땄습니다. ➡ 64, 78, ❷[　　]의 크기를 비교합니다.

[답] ❶ 63 ❷ 63

대표 예제 09

🔵 모양에 적힌 수를 더해 보시오.

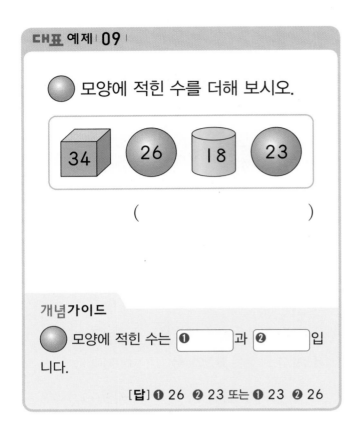

(   )

개념가이드

🔵 모양에 적힌 수는 ❶[　　] 과 ❷[　　]입니다.

[답] ❶ 26 ❷ 23 또는 ❶ 23 ❷ 26

대표 예제 11

신발장에 운동화가 12켤레, 구두가 5켤레 있습니다. 신발장에 있는 운동화와 구두는 모두 몇 켤레인지 식을 완성하고 답을 구하시오.

식   12+[　]=[　]

답 _____

개념가이드

신발장에 있는 운동화의 수 ❶[　　]켤레와 구두의 수 ❷[　　]켤레를 더합니다.

[답] ❶ 12 ❷ 5

대표 예제 10

합이 같은 것끼리 선으로 이어 보시오.

20＋30 •　　　• 20＋50

30＋50 •　　　• 40＋40

40＋30 •　　　• 10＋40

개념가이드

(몇십)＋(몇십)은 10개씩 묶음끼리 더하고 낱개는 0입니다.

20＋30=❶[　]0　　20＋50=❷[　]0

2＋3=❶[　]　　　2＋5=❷[　]

[답] ❶ 5 ❷ 7

대표 예제 12

학생 35명이 운동장에서 놀고 있었습니다. 그중에서 12명이 교실로 들어갔습니다. 운동장에 남아 있는 학생은 몇 명인지 식을 완성하고 답을 구하시오.

식   35－[　]=[　]

답 _____

개념가이드

운동장에서 놀고 있었던 학생 수 ❶[　　]명에서 교실로 들어간 학생 수 ❷[　　]명을 뺍니다.

[답] ❶ 35 ❷ 12

항상 널 응원해!

대표 예제 | 13 |

가장 큰 수와 가장 작은 수의 차를 구하시오.

| 24 | 86 | 55 |

( )

개념가이드

주어진 세 수 중에서 가장 큰 수는 ❶〔 〕이고 가장 작은 수는 ❷〔 〕입니다.

[답] ❶ 86 ❷ 24

대표 예제 | 14 |

보기 와 같은 방법으로 계산하시오.

보기

$$21+45=21+40+5$$
$$=61+5=66$$

$$32+26$$ _____

_____

개념가이드

32에 ❶〔 〕을 더한 다음 그 값에 ❷〔 〕을 더합니다.

[답] ❶ 20 ❷ 6

대표 예제 | 15 |

덧셈식을 보고 알게 된 점을 완성하시오.

$$32+7=39$$
$$32+6=38$$
$$32+5=37$$

➡ 더하는 수가 〔 〕씩 작아지면 합도 〔 〕씩 작아집니다.

개념가이드

더하는 수가 7, 6, 5로 ❶〔 〕씩 작아지고 합도 39, 38, 37로 ❷〔 〕씩 작아집니다.

[답] ❶ 1 ❷ 1

대표 예제 | 16 |

3장의 수 카드 중에서 2장을 골라 한 번씩만 사용하여 몇십몇을 만들고 있습니다. 만들 수 있는 수 중 가장 큰 수와 가장 작은 수의 차를 구하시오.

| 2 | 4 | 7 |

( )

개념가이드

만들 수 있는 몇십몇 중 가장 큰 수는 ❶〔 〕이고 가장 작은 수는 ❷〔 〕입니다.

[답] ❶ 74 ❷ 24

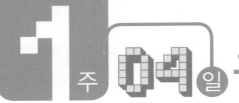
1 관계있는 것끼리 알맞게 이어 보시오.

10개씩 묶음 6개와
낱개 3개 · · 구십육

10개씩 묶음 9개와
낱개 6개 · · 육십삼

10개씩 묶음 7개와
낱개 3개 · · 칠십삼

Tip

10개씩 묶음	낱개	10개씩 묶음	낱개	10개씩 묶음	낱개
6	3	9	6	7	3
↓		↓		↓	
❶		❷		❸	

답 ❶ 63 ❷ 96 ❸ 73

2 수를 세어 ☐ 안에 쓰고 ○ 안에 >,
< 를 알맞게 써넣으시오.

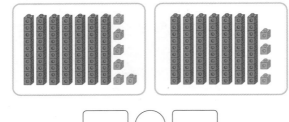

☐ ○ ☐

Tip
· 10개씩 묶음 7개와 낱개 6개는 ❶☐입니다.
· 10개씩 묶음 7개와 낱개 4개는 ❷☐입니다.

답 ❶ 76 ❷ 74

3 두 친구가 말하는 두 수 사이의 수를
모두 쓰시오.

쉰일곱 예순둘

( )

Tip
쉰일곱을 수로 나타내면 ❶☐이고, 예순둘을 수
로 나타내면 ❷☐입니다.

답 ❶ 57 ❷ 62

4 다음 두 조건에 알맞은 수를 쓰시오.

· 87과 90 사이의 수입니다.
· 홀수입니다.

( )

Tip
87과 90 사이의 수는 88, ❶☐입니다.
홀수는 수가 1, 3, 5, 7, ❷☐로 끝납니다.

답 ❶ 89 ❷ 9

5 축구공과 야구공이 있습니다. 축구공은 야구공보다 몇 개 더 많은지 식을 완성하고 답을 구하시오.

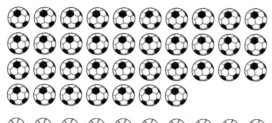

식 ⬚ − ⬚ = ⬚

답 _____

Tip
축구공은 **❶** ⬚ 개이고 야구공은 **❷** ⬚ 개입니다. ➡ 축구공의 수에서 야구공의 수를 뺍니다.

답 ❶ 37 ❷ 15

6 합이 가장 큰 것에 ◯표 하시오.

32+44   16+53   50+28

(   )   (   )   (   )

Tip
32+44의 계산에서
낱개끼리 더하면 2+4=**❶** ⬚ 이고,
10개씩 묶음끼리 더하면 3+4=**❷** ⬚ 입니다.

답 ❶ 6 ❷ 7

7 26+32를 여러 가지 방법으로 계산하려고 합니다. 계산 방법이 <u>틀린</u> 사람의 이름을 쓰시오.

> 예은: 20과 30을 더하고, 6과 2를 더해.
> 종현: 26에 2를 더한 값에 다시 30을 더해.
> 수찬: 26에 3을 더한 값에 다시 2를 더해.

(   )

Tip
32는 **❶** ⬚ 과 2로 가르기 할 수 있습니다. 따라서 32를 더하는 것은 **❷** ⬚ 과 2를 더하는 것입니다.

답 ❶ 30 ❷ 30

8 두 수를 골라 차가 32가 되도록 뺄셈식을 쓰시오.

15   26   37   58

➡ ⬚ − ⬚ = 32

Tip
낱개끼리의 차가 **❶** ⬚ 이고 10개씩 묶음끼리의 차가 **❷** ⬚ 인 두 수를 찾습니다.

답 ❶ 2 ❷ 3

01 관계있는 것끼리 알맞게 이어 보시오.

60 · · 팔십 · · 일흔

70 · · 육십 · · 아흔

80 · · 칠십 · · 여든

90 · · 구십 · · 예순

02 10개씩 묶음과 낱개의 수를 세어 수로 쓰시오.

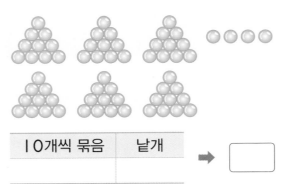

10개씩 묶음	낱개

➡ ☐

03 70보다 1만큼 더 작은 수와 1만큼 더 큰 수를 쓰시오.

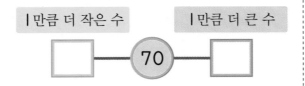

1만큼 더 작은 수   1만큼 더 큰 수

☐ — (70) — ☐

04 그림을 보고 ○ 안에 >, <를 알맞게 써넣으시오.

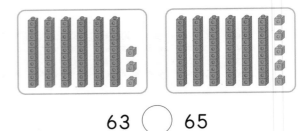

63 ◯ 65

05 학용품의 수가 짝수인지 홀수인지 알아보시오.

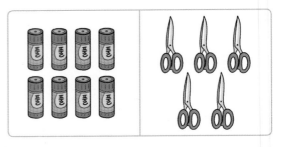

(1) 풀의 수는 짝수입니까, 홀수입니까?

( )

(2) 가위의 수는 짝수입니까, 홀수입니까?

( )

06 그림을 보고 ☐ 안에 알맞은 수를 써 넣으시오.

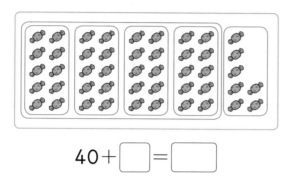

$$40 + \boxed{} = \boxed{}$$

07 뺄셈을 하시오.

(1)
$$\begin{array}{r} 6\,0 \\ -\ 3\,0 \\ \hline \boxed{} \end{array}$$

(2)
$$\begin{array}{r} 9\,0 \\ -\ 5\,0 \\ \hline \boxed{} \end{array}$$

08 58−3을 계산했습니다. 계산이 잘못된 부분을 찾아 바르게 계산하시오.

$$\begin{array}{r} 5\,8 \\ -\ \ 3 \\ \hline 2\,8 \end{array}$$ ⇨

09 과일 가게에 수박이 24개, 멜론이 33개 있습니다. 과일 가게에 있는 수박과 멜론은 모두 몇 개인지 식을 쓰고 답을 구하시오.

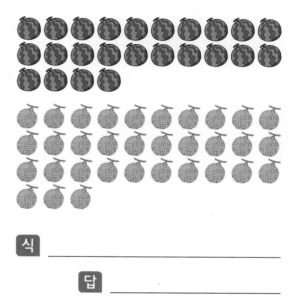

식 _____

답 _____

10 차가 가장 큰 것에 ○표 하시오.

86−55 (　　　)

67−13 (　　　)

94−42 (　　　)

창의·융합·코딩 전략 ❶

창의 융합

1 위 대화를 읽고 처음에 있던 초코볼의 수를 쓰고 두 가지로 읽어 보시오.

쓰기 (   )

읽기 (,   )

창의 융합

2 위 대화를 읽고 심부름으로 사 온 달걀은 모두 몇 개인지 쓰시오.

(   )

창의 융합

1 생일 케이크에 꽂은 긴 초는 10살, 짧은 초는 1살을 나타냅니다. 케이크를 보고 생일인 가족의 나이는 몇 살인지 구해 보시오.

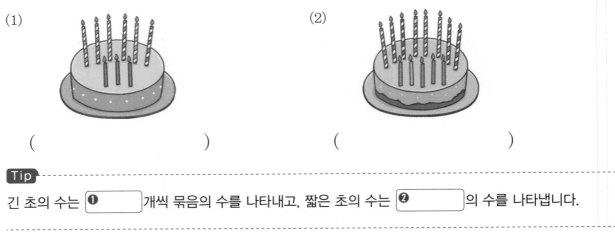

(1)

(   )

(2)

(   )

> **Tip**
>
> 긴 초의 수는 ❶ [   ]개씩 묶음의 수를 나타내고, 짧은 초의 수는 ❷ [   ]의 수를 나타냅니다.

[답] ❶ 10 ❷ 낱개

코딩

2 다음 규칙에 따라 색칠해 보시오.

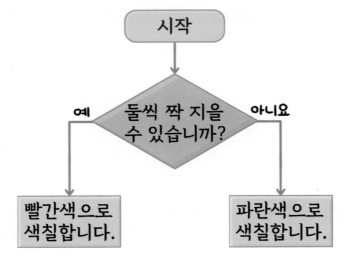

14	15	16
17	18	19
20	21	22

> **Tip**
>
> 2, 4, 6, 8, 10은 둘씩 짝을 지을 수 ❶ [   ]습니다. 1, 3, 5, 7, 9는 둘씩 짝을 지을 수 ❷ [   ]습니다.

[답] ❶ 있 ❷ 없

3 드론이 가지고 온 수 카드 3장 중에서 2장을 골라 한 번씩만 사용하여 만들 수 있는 몇십몇을 구름에 모두 쓰시오.

Tip

10개씩 묶음의 수가 6일 때 낱개의 수가 될 수 있는 수는 **❶** _____ , **❷** _____ 입니다.

따라서 10개씩 묶음의 수가 6일 때 만들 수 있는 수는 **❸** _____ , **❹** _____ 입니다.

[답] ❶ 7 ❷ 8 ❸ 67 ❹ 68

4 3명의 카드 요정 중 2명이 나란히 서서 몇십몇을 만들려고 합니다. 만들 수 있는 가장 큰 몇십몇과 가장 작은 몇십몇을 각각 쓰시오.

Tip

• 가장 큰 몇십몇: 10개씩 묶음의 수에 가장 **❶** _____ 수를 놓고 낱개의 수에 그 다음으로 큰 수를 놓습니다.

• 가장 작은 몇십몇: 10개씩 묶음의 수에 가장 **❷** _____ 수를 놓고 낱개의 수에 그 다음으로 작은 수를 놓습니다.

[답] ❶ 큰 ❷ 작은

5 다음과 같이 동전이 들어 있는 지갑에 25원을 더 넣었습니다. 지갑에 들어 있는 돈은 모두 얼마가 되었습니까?

(   )

Tip

처음 지갑에 들어 있던 돈은 10원짜리가 ❶[   ]개, 1원짜리가 ❷[   ]개이므로 ❸[   ]원입니다.

[답] ❶ 4 ❷ 2 ❸ 42

6 가장 아랫줄부터 선으로 연결된 순서에 따라 계산하는 규칙입니다. ①, ②, ③에 알맞은 수를 써넣으세요.

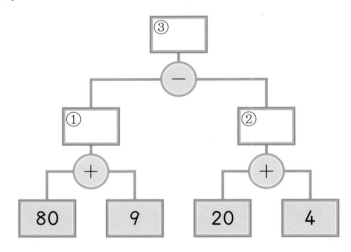

Tip

① 80과 9의 합 구하기 ➡ ② 20과 4의 ❶[   ] 구하기 ➡ ③ ①과 ②에서 구한 값의 ❷[   ] 구하기

[답] ❶ 합 ❷ 차

7 다람쥐가 도토리를 먹을 수 있도록 올바른 계산이 되는 길을 따라가 보시오.

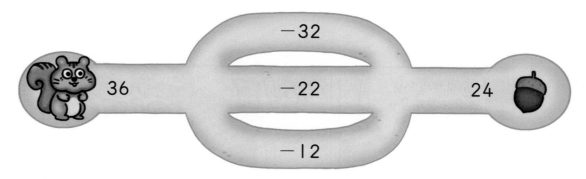

Tip

각각의 길로 갔을 때를 계산해 봅니다.

$36 - 32 =$ ❶ [ ], $36 - 22 =$ ❷ [ ], $36 - 12 =$ ❸ [ ]

[답] ❶ 4 ❷ 14 ❸ 24

8 풍선에 쓰여 있는 수의 합이 꿀벌이 들고 있는 수와 같게 하려고 합니다. 보기와 같이 필요 없는 풍선에 ✕ 표 하시오.

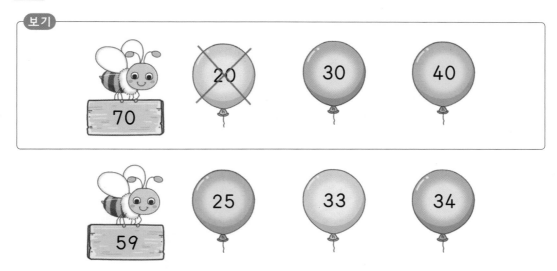

Tip

주어진 세 수 중 10개씩 묶음의 수의 합이 ❶ [ ]이고 낱개의 수의 합이 ❷ [ ]인 두 수를 찾아봅니다.

[답] ❶ 5 ❷ 9

덧셈과 뺄셈(2), 덧셈과 뺄셈(3)

세 수의 덧셈 8＋2＋7을 풀 수 있니?

어푸 어푸

세수를 하면서 덧셈을 한다고?

얼굴을 씻는 세수가 아니야.

3개의 수를 계산하는 문제라구.

8 ＋ 2 ＋ 7
하나, 둘, 셋.

조르륵

밥을 못 먹어서 풀 수 없어.

문제 풀이가 배고픈 거랑 무슨 상관이니?

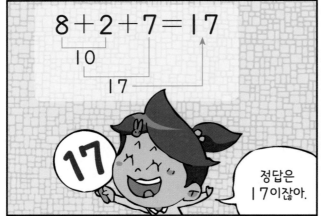

8＋2＋7＝17
10
17

17

정답은 17이잖아.

아는 문제이지만 배고파서 그런 거라구.

정말인가?

❶ 세 수의 덧셈, 세 수의 뺄셈
❷ 10이 되는 더하기, 10에서 빼기

❸ 여러 가지 방법으로 (몇)＋(몇) 계산하기
❹ 여러 가지 방법으로 (십몇)－(몇) 계산하기

개념 1 세 수의 덧셈, 세 수의 뺄셈

[관련 단원] 덧셈과 뺄셈(2)

○ 2+1+4의 계산

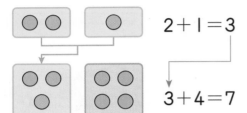

2+1=3

3+4=7

$$2+1+4=7$$
$$\quad\;\;3$$
$$\qquad\;\;7$$

○ 8−3−1의 계산

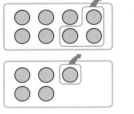

8−3=5

5−1=4

$$8-3-1=4$$
$$\quad\;\;5$$
$$\qquad\;\;4$$

· 2+1+4의 계산
  ① 앞의 두 수를 먼저 더하면 2+1=3입니다.
  ② ①에서 나온 수에 나머지 한 수 4를 더합니다.
  ➡ 3+4=**❶**

· 8−3−1의 계산
  ① 앞의 두 수의 뺄셈을 먼저 하면 8−3=5입니다.
  ② ①에서 나온 수에서 나머지 한 수 1을 뺍니다.
  ➡ 5−1=**❷**

답 **❶** 7 **❷** 4

개념 2 10이 되는 더하기, 10에서 빼기

[관련 단원] 덧셈과 뺄셈(2)

1+9=10

2+8=10

3+7=10

4+6=10

5+5=10

6+4=10

7+3=10

8+2=10

9+1=10

10−1=9

10−2=8

10−3=7

10−4=6

10−5=5

10−6=4

10−7=3

10−8=2

10−9=1

· 10이 되는 더하기

○ 7개에 ○ 3개를 채우면 모두 10개입니다.
  ➡ 7+**❶**=10

· 10에서 빼기

○ 10개 중에서 3개를 / 으로 지우면 7개가 남습니다.
  ➡ 10−3=**❷**

답 **❶** 3 **❷** 7

개념 기초 확인

▶정답 및 풀이 10쪽

1-1 그림을 보고 ☐ 안에 알맞은 수를 써넣으시오.

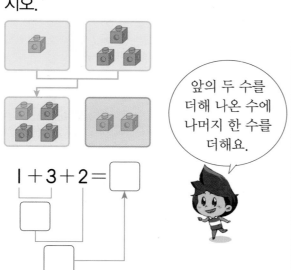

$1+3+2=$ ☐

☐

☐

> 앞의 두 수를 더해 나온 수에 나머지 한 수를 더해요.

1-2 그림을 보고 ☐ 안에 알맞은 수를 써넣으시오.

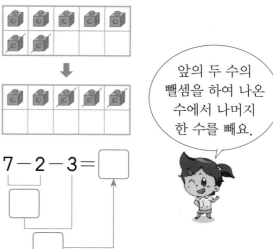

$7-2-3=$ ☐

☐

☐

> 앞의 두 수의 뺄셈을 하여 나온 수에서 나머지 한 수를 빼요.

• **풀이** • 앞의 두 수를 먼저 더하면 $1+3=$ **❶** ☐ 이고, 이 수에 나머지 한 수를 더하면 **❶** ☐ $+2=$ **❷** ☐ 입니다.

🔲 **❶** 4 **❷** 6

2-1 그림을 보고 ☐ 안에 알맞은 수를 써넣으시오.

(1) $5+$ ☐ $=10$

(2) $8+$ ☐ $=10$

(3) $4+$ ☐ $=10$

2-2 그림을 보고 ☐ 안에 알맞은 수를 써넣으시오.

(1) $10-1=$ ☐

(2) $10-5=$ ☐

(3) $10-7=$ ☐

• **풀이** • (1) 5와 더해서 10이 되는 수는 **❶** ☐ 입니다.

(2) 8과 더해서 10이 되는 수는 **❷** ☐ 입니다.

(3) 4와 더해서 10이 되는 수는 **❸** ☐ 입니다.

🔲 **❶** 5 **❷** 2 **❸** 6

개념 3 덧셈하기

[관련 단원] 덧셈과 뺄셈(3)

⊙ 앞의 수를 10 만들어 계산하기

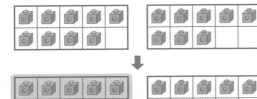

$9+8=17$

9와 1을 더하면
10입니다.

⊙ 뒤의 수를 10 만들어 계산하기

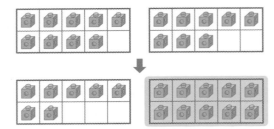

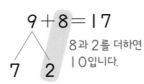

$9+8=17$

8과 2를 더하면
10입니다.

- $9+8$의 계산 (1)
  ① 8을 1과 7로 가르기 합니다.
  ② 9에 1을 더해서
  ❶ [ ]을 만듭니다.
  ③ 만든 수 10과 남은 수 7을
  더하면 17이 됩니다.

- $9+8$의 계산 (2)
  ① 9를 7과 2로 가르기 합니다.
  ② 8에 2를 더해서
  ❷ [ ]을 만듭니다.
  ③ 만든 수 10과 남은 수 7을
  더하면 17이 됩니다.

답 ❶ 10 ❷ 10

개념 4 뺄셈하기

[관련 단원] 덧셈과 뺄셈(3)

⊙ 앞의 수가 10이 되도록 뺀 후 계산하기

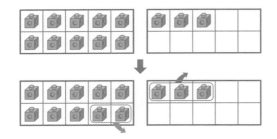

$13-5=8$

13에서 3을 빼면
10입니다.

⊙ 10에서 뒤의 수를 한 번에 뺀 후 계산하기

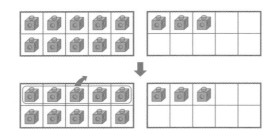

$13-5=8$

10에서 5를
한 번에 뺍니다.

- $13-5$의 계산 (1)
  ① 5를 3과 2로 가르기 합니다.
  ② 13에서 3을 빼면
  ❶ [ ]이 남습니다.
  ③ 남은 수 10에서 2를 빼면
  8이 됩니다.

- $13-5$의 계산 (2)
  ① 13을 10과 3으로 가르기 합니다.
  ② 10에서 5를 빼면
  ❷ [ ]가 남습니다.
  ③ 남은 수 5에 3을 더하면
  8이 됩니다.

답 ❶ 10 ❷ 5

3-1 그림을 보고 ☐ 안에 알맞은 수를 써넣으시오.

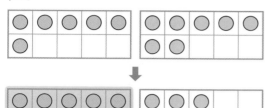

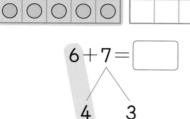

$6+7=$ ☐

4   3

• **풀이** • 앞의 수 6에 ❶ ☐ 를 더해서 10을 만듭니다.

➡ 만든 수 10과 남은 수 3을 더하면 ❷ ☐ 이 됩니다.

탑 ❶ 4 ❷ 13

3-2 그림을 보고 ☐ 안에 알맞은 수를 써넣으시오.

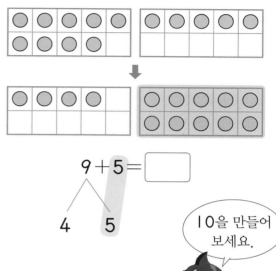

$9+5=$ ☐

4   5

10을 만들어 보세요.

4-1 그림을 보고 ☐ 안에 알맞은 수를 써넣으시오.

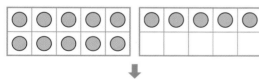

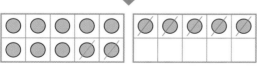

$15-7=$ ☐

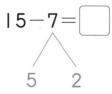

5   2

• **풀이** • 앞의 수 15에서 ❶ ☐ 를 빼면 10이 남습니다.

➡ 남은 수 10에서 2를 빼면 ❷ ☐ 이 됩니다.

탑 ❶ 5 ❷ 8

4-2 그림을 보고 ☐ 안에 알맞은 수를 써넣으시오.

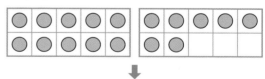

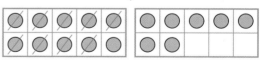

$17-9=$ ☐

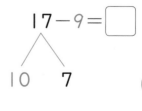

10   7

10에서 빼 보세요.

개념 돌파 전략 ❷

예제 1 두 수를 더하기

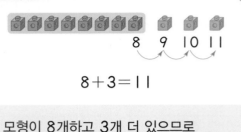

8 9 10 11

$$8+3=11$$

모형이 8개하고 3개 더 있으므로
8하고 9, ❶ ⬚ , ❷ ⬚ 입니다.

[답] ❶ 10 ❷ 11

---

1 그림을 보고 ⬚ 안에 알맞은 수를 써넣으시오.

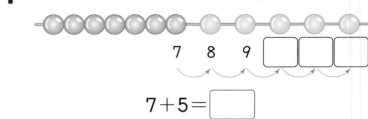

7 8 9 ⬚ ⬚ ⬚

$$7+5=\boxed{}$$

예제 2 10에서 빼기

10을 두 수로 가르기 했을 때, 10에서
한 수를 빼면 다른 수가 됩니다.

10
↙ ↘
2 8

$$10-2=8$$
$$10-8=2$$

10은 2와 ❶ ⬚ 로 가르기 할 수 있
으므로 10-2=❷ ⬚ 입니다.

[답] ❶ 8 ❷ 8

---

2 10을 두 수로 가르기 하고, 뺄셈을 하시오.

(1)
10
↙ ↘
5 ⬚

$$10-5=\boxed{}$$

(2)
10
↙ ↘
3 ⬚

$$10-3=\boxed{}$$

예제 3 두 수로 10을 만들어 더하기

$$5+5+6=16$$

10
16

앞의 두 수로
10을 만들어
계산합니다.

앞의 두 수 5와 5를 더해서 ❶ ⬚
을 만듭니다. 만든 10에 나머지 한 수
❷ ⬚ 을 더합니다.

[답] ❶ 10 ❷ 6

---

3 ⬚ 안에 알맞은 수를 써넣으시오.

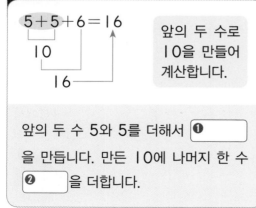

$$3+4+6=\boxed{}$$

⬚

⬚

뒤의 두 수로
10을 만들어
계산해요.

예제 4   10을 이용하여 모으기와 가르기 하기

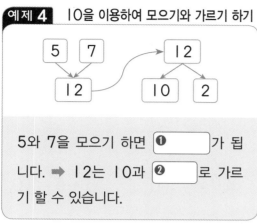

5와 7을 모으기 하면 ❶ ▢ 가 됩니다. ➡ 12는 10과 ❷ ▢로 가르기 할 수 있습니다.

[답] ❶ 12 ❷ 2

4 10을 이용하여 모으기와 가르기를 해 보시오.

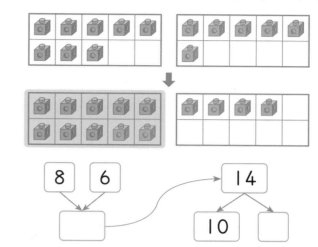

예제 5   10을 만들어 덧셈하기

8에 2를 더해서 10을 만들어요.

6을 ❶ ▢ 와 4로 가르기 한 다음 8에 ❷ ▢ 를 더해서 10을 만듭니다.

[답] ❶ 2 ❷ 2

5 덧셈식에 맞게 ◯를 그리고 덧셈을 하시오.

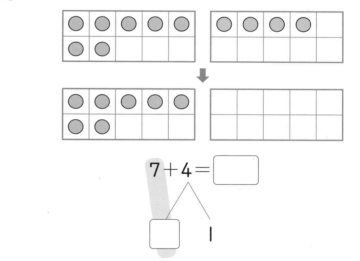

$7+4=▢$

예제 6   10이 남도록 뺀 후 계산하기

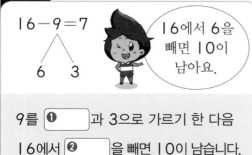

16에서 6을 빼면 10이 남아요.

9를 ❶ ▢ 과 3으로 가르기 한 다음 16에서 ❷ ▢ 을 빼면 10이 남습니다.

[답] ❶ 6 ❷ 6

6 뺄셈식에 맞게 ╱으로 지우고 뺄셈을 하시오.

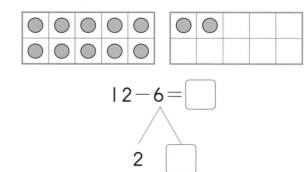

$12-6=▢$

전략 1 10이 되는 더하기

[관련 단원] 덧셈과 뺄셈 (2)

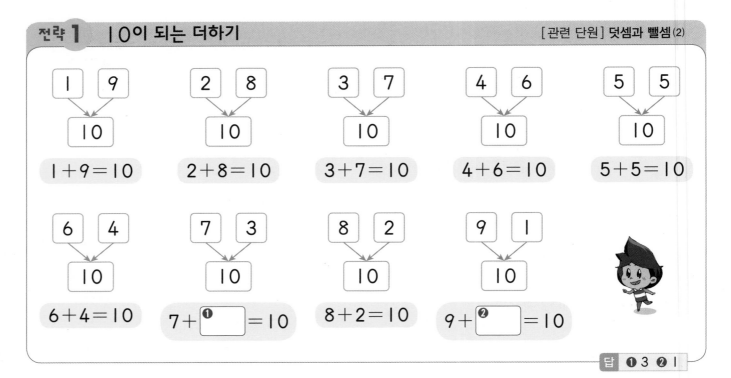

$1+9=10$

$2+8=10$

$3+7=10$

$4+6=10$

$5+5=10$

$6+4=10$

$7+$❶$\boxed{}=10$

$8+2=10$

$9+$❷$\boxed{}=10$

답 ❶ 3 ❷ 1

필수 예제 | 01 |

그림을 보고 ☐ 안에 알맞은 수를 써넣으시오.

(1) $\boxed{}+\boxed{}=10$

(2) $\boxed{}+\boxed{}=10$

풀이 | (1) 흰색 바둑돌 8개와 검은색 바둑돌 2개를 더하면 10개입니다.
　　　(2) 흰색 바둑돌 3개와 검은색 바둑돌 7개를 더하면 10개입니다.

확인 1-1

손가락을 보고 10이 되는 더하기를 하시오.

  ➡ $4+\boxed{}=10$

확인 1-2

손가락을 보고 10이 되는 더하기를 하시오.

  ➡ $\boxed{}+1=10$

전략 ② 세 수의 덧셈 방법 [관련 단원] 덧셈과 뺄셈⑵

예 2＋7＋3의 계산

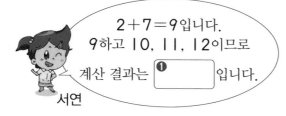

2＋7＝9입니다.
9하고 10, 11, 12이므로
계산 결과는 ❶ [　　] 입니다.

서연

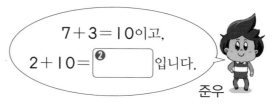

7＋3＝10이고,
2＋10＝❷ [　　] 입니다.

준우

➡ 앞의 두 수를 더한 다음 뒤의 수를 더한 결과와 뒤의 두 수를 더한 다음 앞의 수를 더한 결과가 같습니다.

답 ❶ 12 ❷ 12

필수 예제 02

전략 ② 에서 서연이와 준우가 계산한 방법으로 다음을 계산하시오.

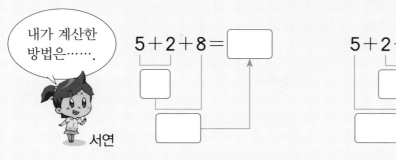

내가 계산한
방법은…….

5＋2＋8＝ [　　]

서연

5＋2＋8＝ [　　]

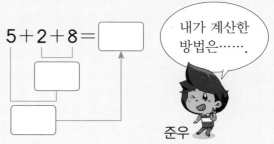

내가 계산한
방법은…….

준우

풀이 | 서연: 5＋2＝7입니다. 7하고 8, 9, 10, 11, 12, 13, 14, 15이므로 계산 결과는 15입니다.
준우: 2＋8＝10이고, 5＋10＝15입니다.

확인 2-1

직접 [　　]을 그려 가며 세 수의 덧셈을 하시오.

6＋4＋5＝ [　　]

확인 2-2

직접 [　　]을 그려 가며 세 수의 덧셈을 하시오.

2＋5＋5＝ [　　]

전략 3 두 가지 방법으로 덧셈하기

[관련 단원] 덧셈과 뺄셈 (3)

예 과일이 모두 몇 개인지 구하기

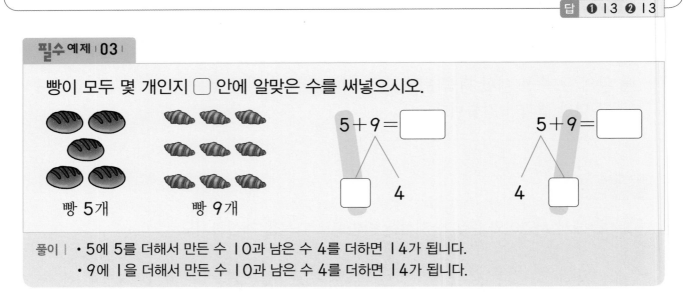

사과 **7**개   귤 **6**개

$7+6=$ **❶** ⬚

$7+6=$ **❷** ⬚

답 ❶ 13 ❷ 13

필수 예제 03

빵이 모두 몇 개인지 ⬚ 안에 알맞은 수를 써넣으시오.

빵 **5**개   빵 **9**개

$5+9=$ ⬚

$5+9=$ ⬚

풀이 · 5에 5를 더해서 만든 수 10과 남은 수 4를 더하면 14가 됩니다.
· 9에 1을 더해서 만든 수 10과 남은 수 4를 더하면 14가 됩니다.

확인 3-1

덧셈을 하시오.

$8+3=$ ⬚

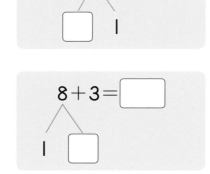

$8+3=$ ⬚

8을 10으로 만들거나 3을 10으로 만들어요.

확인 3-2

덧셈을 하시오.

$5+7=$ ⬚

$5+7=$ ⬚

5를 10으로 만들거나 7을 10으로 만들어요.

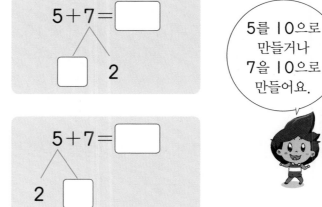

전략 4 두 가지 방법으로 뺄셈하기

[관련 단원] 덧셈과 뺄셈 (3)

예 야구공은 축구공보다 몇 개 더 많은지 구하기

야구공 11개

축구공 4개

$$11-4=\boxed{❶}$$

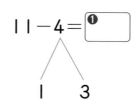

1   3

$$11-4=\boxed{❷}$$

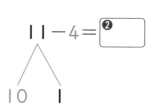

10   1

답 ❶ 7 ❷ 7

필수예제 04

오이는 당근보다 몇 개 더 많은지 ☐ 안에 알맞은 수를 써넣으시오.

오이 14개

당근 6개

$$14-6=\boxed{}$$

☐   2

$$14-6=\boxed{}$$

10   ☐

풀이 · 14에서 4를 빼어 남은 수 10에서 2를 빼면 8이 됩니다.
· 10에서 6을 빼어 남은 수 4에 4를 더하면 8이 됩니다.

확인 4-1

뺄셈을 하시오.

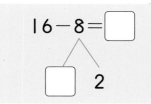

$$16-8=\boxed{}$$

☐   2

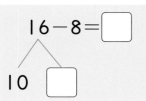

$$16-8=\boxed{}$$

10   ☐

16이 10이 되도록 빼거나 10에서 8을 한 번에 빼요.

확인 4-2

뺄셈을 하시오.

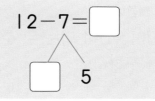

$$12-7=\boxed{}$$

☐   5

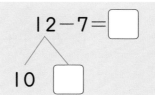

$$12-7=\boxed{}$$

10   ☐

12가 10이 되도록 빼거나 10에서 7을 한 번에 빼요.

[관련 단원] **덧셈과 뺄셈**(2)

1 공은 모두 몇 개인지 알맞은 식을 만들고 계산하시오.

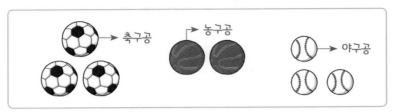

$$3+2+\boxed{}=\boxed{}$$

Tip

• 축구공이 3개, 농구공이 ❶ 개,
  야구공이 ❷ 개 있습니다.
  세 수의 덧셈은 두 수를 더해 나온
  수에 나머지 한 수를 더합니다.

답 ❶ 2 ❷ 3

[관련 단원] **덧셈과 뺄셈**(2)

2 합이 10이 되는 두 수를 찾아 선으로 이어 보시오.

③   ⑥   ⑨   ⑤
·   ·   ·   ·

·   ·   ·   ·
①   ⑤   ⑦   ④

Tip

• 합이 10이 되는 두 수는 1과 9,
  2와 8, 3과 7, 4와 ❶ , 5와
  ❷ 입니다.

답 ❶ 6 ❷ 5

[관련 단원] **덧셈과 뺄셈**(2)

3 보기 와 같이 합이 10이 되는 두 수를 ◯로 묶은 뒤 세 수의 합을 구하시오.

보기   ⑧＋②＋4＝14

(1) $5+5+9=\boxed{}$ (2) $6+1+9=\boxed{}$

Tip

(1) 세 수 5, 5, 9 중에서 합이 10이
   되는 두 수는 5와 ❶ 입니다.
(2) 세 수 6, 1, 9 중에서 합이 10이
   되는 두 수는 1과 ❷ 입니다.

답 ❶ 5 ❷ 9

[관련 단원] 덧셈과 뺄셈 (3)

4 10을 이용하여 모으기와 가르기를 해 보시오.

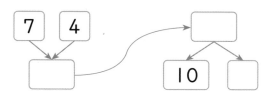

Tip

• 왼쪽 수판과 오른쪽 수판에 각각 7과 4를 놓고 오른쪽 수판에서 왼쪽 수판으로 3을 옮겨서 10을 만들면 10과 ❶　　　이 되어 ❷　　　이 됩니다.

답 ❶ 1 ❷ 11

[관련 단원] 덧셈과 뺄셈 (3)

5 다람쥐가 8마리 있었는데 4마리가 더 왔습니다. 다람쥐는 모두 몇 마리가 되었습니까?

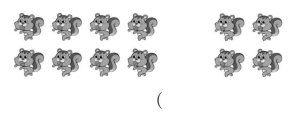

(　　　　　　　　　)

Tip

• 처음에 있던 다람쥐 ❶　　　마리와 더 온 다람쥐 ❷　　　마리를 더합니다.

답 ❶ 8 ❷ 4

[관련 단원] 덧셈과 뺄셈 (3)

6 ❶냉장고에 아이스크림이 16개 있었습니다. ❷그중에서 7개를 먹었다면 남은 아이스크림은 몇 개입니까?

(　　　　　　　　　)

Tip

❶ 처음에 있던 아이스크림은 ❶　　　개입니다.

❷ 아이스크림 7개를 먹었으므로 뺄셈식 16 - ❷　　　을 계산합니다.

답 ❶ 16 ❷ 7

전략 1 두 수를 바꾸어 더하기

[관련 단원] 덧셈과 뺄셈(2)

예 5+7과 7+5 계산하기

5 6 7 8 9 10 11 12

7 8 9 10 11 12

$5+7=$ ❶ ☐

$7+5=$ ❷ ☐

두 수를 바꾸어 더해도 결과는 같습니다.

답 ❶ 12 ❷ 12

필수예제 | 01 |

두 수를 바꾸어 더해 보시오.

$2+9=$ ☐

$9+2=$ ☐

2에서부터 9만큼 이어 세는 것보다 9에서부터 2만큼 이어 세는 것이 더 편리해요.

풀이 | • 2개하고 9개 더 있으므로 2하고 3, 4, 5, 6, 7, 8, 9, 10, 11입니다.
• 9개하고 2개 더 있으므로 9하고 10, 11입니다.
➡ 2와 9를 바꾸어 더해도 결과는 11로 같습니다.

확인 1-1

합이 같은 것끼리 선으로 이어 보시오.

3+8 ·   · 7+6

9+6 ·   · 8+3

6+7 ·   · 6+9

확인 1-2

합이 같은 것끼리 선으로 이어 보시오.

9+4 ·   · 8+7

7+8 ·   · 6+5

5+6 ·   · 4+9

전략 2   모르는 수 구하기

[관련 단원] 덧셈과 뺄셈(2)

예 $10 - \square = 3$에서 $\square$ 안에 알맞은 수 구하기

○ 10개 중에서 3개가 남을 때까지 /으로 지워 봅니다.

/으로 지운 것은 7개이므로 10에서 3이 남으려면

❶ $\square$ 을 빼야 합니다.

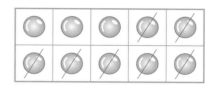

$10 - \boxed{\text{❷}\ } = 3$

답 **❶** 7 **❷** 7

필수예제 02

/으로 알맞게 지우고, $\square$ 안에 알맞은 수를 써넣으시오.

(1)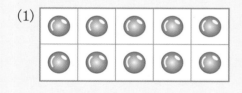

$10 - \square = 6$

(2)

$10 - \square = 2$

풀이 | (1) 10개 중에서 6개를 남기려면 4개를 지워야 합니다. ➡ $10 - \boxed{4} = 6$

(2) 10개 중에서 2개를 남기려면 8개를 지워야 합니다. ➡ $10 - \boxed{8} = 2$

확인 2-1

$\square$ 안에 알맞은 수를 써넣으시오.

$10 \rightarrow \boxed{- \square} \rightarrow 5$

확인 2-2

$\square$ 안에 알맞은 수를 써넣으시오.

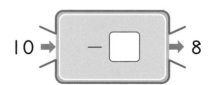

$10 \rightarrow \boxed{- \square} \rightarrow 8$

전략 3 규칙이 있는 덧셈 [관련 단원] 덧셈과 뺄셈(3)

6 + 5 = 11
6 + 6 = 12
6 + 7 = 13
6 + 8 = ❶

똑같은 수에
1씩 큰 수를
더하면 합도
1씩 커져요.

1씩 커짐   1씩 커짐

9 + 7 = 16
8 + 7 = 15
7 + 7 = 14
6 + 7 = ❷

1씩 작은 수에
똑같은 수를
더하면 합도
1씩 작아져요.

1씩 작아짐   1씩 작아짐

답 ❶ 14 ❷ 13

필수 예제 03

덧셈을 하시오.

(1)
8+2=10
8+3=☐
8+4=☐
8+5=☐

똑같은 수에
1씩 큰 수를
더해요.

(2)
8+5=13
7+5=☐
6+5=☐
5+5=☐

1씩 작은 수에
똑같은 수를
더해요.

풀이 | (1) 똑같은 수에 1씩 큰 수를 더하면 합도 1씩 커집니다.
➡ 8+2=10이므로 8+3=11, 8+4=12, 8+5=13입니다.
(2) 1씩 작은 수에 똑같은 수를 더하면 합도 1씩 작아집니다.
➡ 8+5=13이므로 7+5=12, 6+5=11, 5+5=10입니다.

확인 3-1

덧셈을 하시오.

7+8=☐   7+6=☐

7+7=☐   7+5=☐

확인 3-2

덧셈을 하시오.

4+9=☐   6+9=☐

5+9=☐   7+9=☐

전략 4 규칙이 있는 뺄셈

[관련 단원] 덧셈과 뺄셈(3)

12 − 4 = 8
12 − 5 = 7
12 − 6 = 6
12 − 7 = ❶

똑같은 수에서
1씩 큰 수를 빼면
차는 1씩
작아져요.

1씩 커짐   1씩 작아짐

13 − 8 = 5
14 − 8 = 6
15 − 8 = 7
16 − 8 = ❷

1씩 큰 수에서
똑같은 수를 빼면
차도 1씩
커져요.

1씩 커짐   1씩 커짐

답 ❶ 5 ❷ 8

필수예제 04

뺄셈을 하시오.

(1)
14−5=9
14−6=☐
14−7=☐
14−8=☐

똑같은 수에서
1씩 큰 수를
빼요.

(2)
15−9=6
16−9=☐
17−9=☐
18−9=☐

1씩 큰 수에서
똑같은 수를
빼요.

풀이 | (1) 똑같은 수에서 1씩 큰 수를 빼면 차는 1씩 작아집니다.
➡ 14−5=9이므로 14−6=8, 14−7=7, 14−8=6입니다.
(2) 1씩 큰 수에서 똑같은 수를 빼면 차도 1씩 커집니다.
➡ 15−9=6이므로 16−9=7, 17−9=8, 18−9=9입니다.

확인 4-1

뺄셈을 하시오.

17−8=☐   15−8=☐

16−8=☐   14−8=☐

확인 4-2

뺄셈을 하시오.

12−3=☐   14−5=☐

13−4=☐   15−6=☐

[관련 단원] **덧셈과 뺄셈**(2)

1 ☐ 안에 알맞은 수를 써넣어 이야기를 완성하시오.

아빠가 오렌지 9개를 사 왔는데 몇 개 먹었니?

저는 2개를 먹었어요.

저는 3개를 먹었어요.

오렌지가 ☐개 남았습니다.

> **Tip**
> • 남은 오렌지의 수를 구하는 식은
> $9 - 2 - \boxed{❶}$ 입니다.
> 앞의 두 수의 뺄셈을 먼저 하면
> $9 - 2 = \boxed{❷}$ 입니다. 이 수에서
> 나머지 한 수 $\boxed{❸}$ 을 뺍니다.
>
> 답 ❶ 3 ❷ 7 ❸ 3

[관련 단원] **덧셈과 뺄셈**(2)

2 토끼가 당근을 아침에 5개, 저녁에 9개 먹었습니다. 토끼가 먹은 당근은 모두 몇 개입니까?

🥕🥕🥕🥕🥕   🥕🥕🥕🥕🥕🥕🥕🥕🥕

(   )

> **Tip**
> • 두 수를 바꾸어 더해도 결과는 같습니다.
> $5 + 9$의 결과는 $\boxed{❶} + \boxed{❷}$
> 의 결과와 같습니다.
>
> 답 ❶ 9 ❷ 5

[관련 단원] **덧셈과 뺄셈**(2)

3 계산 결과가 더 큰 식에 ◯표 하시오.

$7 + 3 + 4$ $5 + 8 + 2$

(   )   (   )

> **Tip**
> • $7 + 3 + 4$에서 합이 10인 두 수는
> 7과 $\boxed{❶}$ 입니다.
> • $5 + 8 + 2$에서 합이 10인 두 수는
> 8과 $\boxed{❷}$ 입니다.
>
> 답 ❶ 3 ❷ 2

[관련 단원] **덧셈과 뺄셈** (3)

4 계산을 하시오.

(1) $7+5=$ □

(2) $3+9=$ □

(3) $11-6=$ □

(4) $16-8=$ □

Tip

• $7+5$의 계산

방법1 7에 ❶ □ 을 더해서 10을 만들어 계산합니다.

방법2 5에 ❷ □ 를 더해서 10을 만들어 계산합니다.

답 ❶ 3 ❷ 5

[관련 단원] **덧셈과 뺄셈** (3)

5 빈칸에 알맞은 수를 써넣으시오.

$5+5$	$5+6$	$5+7$	$5+8$	$5+9$
10	11	12	13	14
$6+5$	$6+6$	$6+7$	$6+8$	$6+9$
11	12			15
$7+5$	$7+6$	$7+7$	$7+8$	$7+9$
12	13	14	15	16

Tip

• 오른쪽(→)으로 가면 더하는 수가 1씩 커지므로 합도 ❶ □ 씩 커집니다.

• 아래쪽(↓)으로 가면 더해지는 수가 1씩 커지므로 합도 ❷ □ 씩 커집니다.

답 ❶ 1 ❷ 1

[관련 단원] **덧셈과 뺄셈** (3)

6 빈칸에 알맞은 수를 써넣으시오.

$12-3$	$12-4$	$12-5$	$12-6$	$12-7$
9	8	7	6	5
	$13-4$	$13-5$	$13-6$	$13-7$
	9	8	7	6
		$14-5$	$14-6$	$14-7$
		9	8	
			$15-6$	$15-7$
			9	

Tip

• 오른쪽(→)으로 가면 빼는 수가 1씩 커지므로 차는 ❶ □ 씩 작아집니다.

• 아래쪽(↓)으로 가면 빼지는 수가 1씩 커지므로 차도 ❷ □ 씩 커집니다.

답 ❶ 1 ❷ 1

대표 예제 01

세 수의 덧셈을 하시오.

$$4 + 2 = \square$$
$$\square + 3 = \square$$

$$4+2+3=\square$$

개념가이드

앞의 두 수 4와 **❶** 를 더한 후 나머지 한 수 **❷** 을 더합니다.

[답] ❶ 2 ❷ 3

대표 예제 03

10이 되도록 ◯를 그려 넣고 □ 안에 알맞은 수를 써넣으시오.

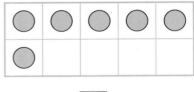

$$6+\square=10$$

개념가이드

수판에 그려진 ◯는 **❶** 개입니다.
10이 되려면 ◯를 **❷** 개 더 그려야 합니다.

[답] ❶ 6 ❷ 4

대표 예제 02

세 수의 뺄셈을 하시오.

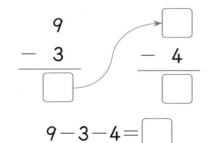

$$9-3-4=\square$$

개념가이드

앞의 두 수의 뺄셈 $9-$ **❶** 을 하여 나온 수에서 나머지 한 수 **❷** 를 뺍니다.

[답] ❶ 3 ❷ 4

대표 예제 04

□ 안에 알맞은 수를 써넣으시오.

(1) $6+7=7+\square$

(2) $8+4=\square+8$

두 수를 바꾸어 더해도 결과는 같아요.

개념가이드

두 수를 바꾸어 더해도 결과는 **❶** 습니다.
➡ 6과 7의 합은 7과 **❷** 의 합과 같습니다.

[답] ❶ 같 ❷ 6

잘할 수 있어!

대표 예제 05

계산 결과를 찾아 선으로 이어 보시오.

7+4 ·   · 12

6+9 ·   · 11

4+8 ·   · 15

개념가이드

4+8은 8+❶ [   ] 와 같으므로 8에서부터

❷ [   ] 만큼 이어 세면 편리합니다.

[답] ❶ 4 ❷ 4

대표 예제 06

수 카드의 세 수를 더해 보시오.

개념가이드

세 수 3, 4, 6 중에서 합이 10이 되는 두 수는

❶ [   ], ❷ [   ] 입니다.

[답] ❶ 4 ❷ 6 또는 ❶ 6 ❷ 4

대표 예제 07

계산 결과의 크기를 비교하여 ○ 안에
>, =, <를 알맞게 써넣으시오.

10−8 ◯ 10−4

개념가이드

10에서 뺄 때는 10 가르기를 이용하면 편리합니다.

[답] ❶ 2 ❷ 6

대표 예제 08

10에서 어떤 수를 뺐더니 7이 되었습니다. 어떤 수는 얼마입니까?

10−☐=7

(   )

개념가이드

10개 중에서 ❶ [   ] 개를

남겨야 하므로 ❷ [   ] 개를

지워야 합니다.

[답] ❶ 7 ❷ 3

대표 예제 09

10을 이용하여 모으기와 가르기를 해 보시오.

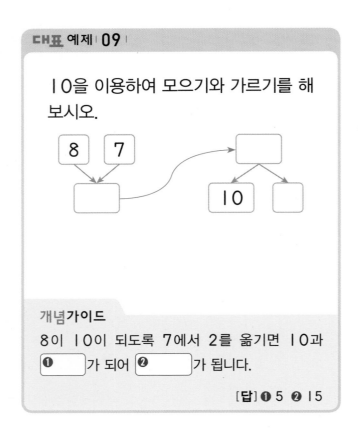

8 7

10

개념가이드

8이 10이 되도록 7에서 2를 옮기면 10과
❶ [   ] 가 되어 ❷ [   ] 가 됩니다.

[답] ❶ 5 ❷ 15

대표 예제 11

두 수의 차를 구하시오.

6   13

(   )

큰 수에서
작은 수를 빼요.

개념가이드

6과 13 중에서 더 큰 수 ❶ [   ] 에서 더 작은
수 ❷ [   ] 을 뺍니다.

[답] ❶ 13 ❷ 6

대표 예제 10

보기 와 같은 방법으로 덧셈을 하시오.

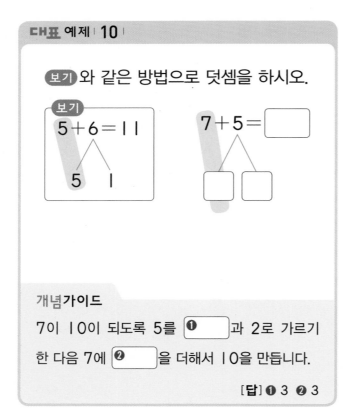

보기

5+6=11

5 1

7+5=[   ]

개념가이드

7이 10이 되도록 5를 ❶ [   ] 과 2로 가르기
한 다음 7에 ❷ [   ] 을 더해서 10을 만듭니다.

[답] ❶ 3 ❷ 3

대표 예제 12

딸기 맛 우유가 4개, 초코 맛 우유가
8개 있습니다. 우유는 모두 몇 개인지
식을 완성하고 답을 구하시오.

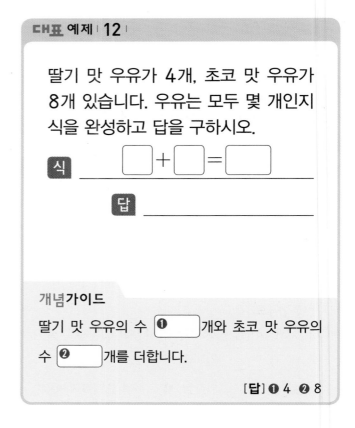

식 [   ]+[   ]=[   ]

답 _____

개념가이드

딸기 맛 우유의 수 ❶ [   ] 개와 초코 맛 우유의
수 ❷ [   ] 개를 더합니다.

[답] ❶ 4 ❷ 8

항상 널 응원해!

대표 예제 | 13 |

계산 결과가 더 큰 쪽에 ○표 하시오.

$12-7$

$15-9$

(   )   (   )

개념가이드

$12-7=$ ❷ □

2   5

12에서 2를 빼어 남은 수
❶ □ 에서 5를 빼면
❷ □ 가 됩니다.

[답] ❶ 10 ❷ 5

대표 예제 | 15 |

주머니에 있는 수 중 가장 큰 수와 가장 작은 수의 차를 구하시오.

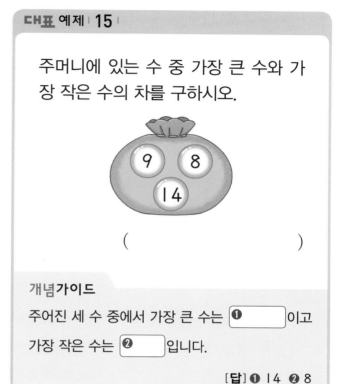

(   )

개념가이드

주어진 세 수 중에서 가장 큰 수는 ❶ □ 이고
가장 작은 수는 ❷ □ 입니다.

[답] ❶ 14 ❷ 8

대표 예제 | 14 |

빈칸에 알맞은 수를 써넣으시오.

3＋9를 먼저 계산해요.

개념가이드

3과 ❶ □ 의 합을 구하고, 그 합에서 ❷ □ 을 뺍니다.

[답] ❶ 9 ❷ 6

대표 예제 | 16 |

덧셈을 하시오.

$6+6=$ □
$7+5=$ □
$8+4=$ □
$9+3=$ □

개념가이드

더해지는 수는 6, 7, 8, 9로 ❶ □ 씩 커지는
수이고, 더하는 수는 6, 5, 4, 3으로 ❷ □ 씩
작아지는 수입니다.

[답] ❶ 1 ❷ 1

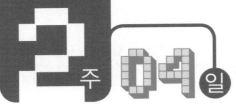

2주 04일 교과서 대표 전략 ❷

1 계산을 하시오.

(1) $3+2+3=\boxed{}$

$\boxed{}$

$\boxed{}$

(2) $8-4-2=\boxed{}$

$\boxed{}$

$\boxed{}$

Tip

(1) 덧셈 $3+2$를 계산한 수에 ❶$\boxed{}$을 더합니다.

(2) 뺄셈 $8-4$를 계산한 수에서 ❷$\boxed{}$를 뺍니다.

답 ❶ 3 ❷ 2

2 합이 같은 것끼리 선으로 이어 보시오.

$7+3+4$ · · $10+6$

$1+9+6$ · · $10+4$

$2+5+5$ · · $2+10$

Tip

앞의 두 수 또는 뒤의 두 수를 더해서 ❶$\boxed{}$을 만듭니다.

➡ 만든 ❷$\boxed{}$에 나머지 한 수를 더합니다.

답 ❶ 10 ❷ 10

3 합이 10이 되는 칸을 모두 색칠하시오.

$1+9$	$3+4$	$3+6$	$3+3$
$8+2$	$2+7$	$1+8$	$2+5$
$6+4$	$3+7$	$5+5$	$9+1$
$4+2$	$5+3$	$1+5$	$4+6$

Tip

합이 10이 되는 두 수는 1과 9, 2와 8, 3과 ❶$\boxed{}$, 4와 ❷$\boxed{}$, 5와 ❸$\boxed{}$입니다.

답 ❶ 7 ❷ 6 ❸ 5

4 가장 큰 수와 가장 작은 수의 차를 구하시오.

6   8   10

(   )

Tip

주어진 수 중에서 가장 큰 수는 ❶$\boxed{}$이고 가장 작은 수는 ❷$\boxed{}$입니다.

답 ❶ 10 ❷ 6

5 빈 곳에 두 수의 합을 써넣으시오.

Tip

8에 ❶[ ]를 더해서 10을 만들어 계산하거나

4에 ❷[ ]을 더해서 10을 만들어 계산합니다.

답 ❶2 ❷6

7 바나나가 16개 있었습니다. 그중에서 9개를 원숭이가 먹었습니다. 남은 바나나는 몇 개인지 식을 쓰고 답을 구하시오.

식 _____

답 _____

Tip

처음에 있던 바나나 수 ❶[ ]에서 먹은 바나나 수 ❷[ ]를 뺍니다.

답 ❶16 ❷9

6 준우는 서연이보다 연필을 몇 자루 더 많이 가지고 있습니까?

나는 연필을 15자루 가지고 있어.

준우

나는 연필을 8자루 가지고 있어.

서연

( )

Tip

준우의 연필 수 ❶[ ]에서 서연이의 연필 수 ❷[ ]을 뺍니다. 답 ❶15 ❷8

8 🛢 모양에 쓰인 수의 합을 구하시오.

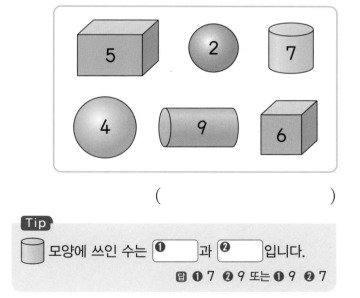

( )

Tip

🛢 모양에 쓰인 수는 ❶[ ]과 ❷[ ]입니다.

답 ❶7 ❷9 또는 ❶9 ❷7

누구나 **만점 전략**

01 뺄셈을 하시오.

(1) $10-2=\boxed{}$

(2) $10-6=\boxed{}$

02 빈칸에 알맞은 수를 써넣으시오.

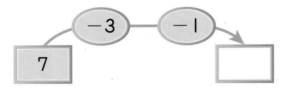

03 합이 10이 되는 두 수를 ◯ 로 묶은 뒤 세 수의 합을 구하시오.

(1) $6+4+3=\boxed{}$

(2) $7+9+1=\boxed{}$

04 미주는 귤을 어제 5개 먹었고 오늘 6개 먹었습니다. 미주가 어제와 오늘 먹은 귤은 모두 몇 개입니까?

(   )

05 주머니 안에 있는 바둑돌과 손바닥 위에 있는 바둑돌은 모두 10개입니다. 주머니 안에 있는 바둑돌은 몇 개인지 ◻ 안에 알맞은 수를 써넣으시오.

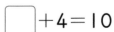

$\boxed{}+4=10$

06 계산을 하시오.

(1) $8+3=$ ☐

(2) $15-9=$ ☐

07 계산 결과를 찾아 선으로 이어 보시오.

6+6 ·

· 16

8+8 ·

· 12

08 차가 8인 뺄셈식을 찾아 ◯표 하시오.

11-2   16-8   13-6

(   )(   )(   )

09 가장 큰 수와 가장 작은 수의 합을 빈 곳에 써넣으시오.

10 두 수의 차가 작은 것부터 순서대로 점을 이어 보시오.

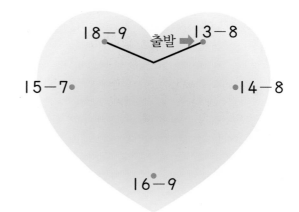

18-9   출발 → 13-8

15-7·   ·14-8

16-9

1 위 대화를 읽고 어미 개가 낳은 새끼는 모두 몇 마리인지 구하시오.

( )

2 위 대화를 읽고 엄마께서 사 오신 붕어빵은 모두 몇 개인지 구하시오.

(   )

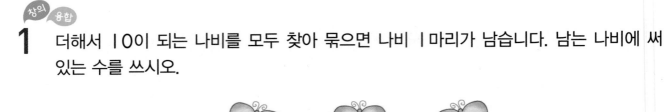

1 더해서 10이 되는 나비를 모두 찾아 묶으면 나비 1마리가 남습니다. 남는 나비에 써 있는 수를 쓰시오.

(   )

> **Tip**
>
> 더해서 10이 되는 두 수는 1과 9, 2와 8, 3과 ❶☐, 4와 ❷☐, 5와 ❸☐입니다.

[답] ❶ 7 ❷ 6 ❸ 5

---

2 해찬이와 민경이가 양손에 가지고 있는 바둑돌은 각각 10개입니다. 주먹을 쥔 손에 들어 있는 바둑돌은 누가 더 많은지 알아보시오.

해찬   민경

주먹을 쥔 손에 들어 있는 바둑돌은 해찬이가 ☐개, 민경이가 ☐개입니다.

따라서 주먹을 쥔 손에 들어 있는 바둑돌은 ☐이가 더 많습니다.

> **Tip**
>
> 해찬이가 주먹을 쥔 손에는 바둑돌이 10−❶☐ = ❷☐(개) 들어 있습니다.

[답] ❶ 6 ❷ 4

코딩

3 규칙에 따라 오른쪽 칸을 모두 색칠하고, 이때 어떤 숫자가 보이는지 쓰시오.

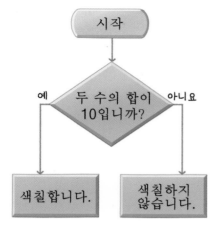

2+6	7+3	4+3	1+9	6+1
8+1	4+6	7+2	5+5	3+3
3+5	9+1	2+8	8+2	6+4
4+4	7+2	5+2	3+7	5+4

색칠했을 때 보이는 숫자 (   )

 Tip

두 수의 합이 **❶**[   ]이면 색칠하고, **❷**[   ]이 아니면 색칠하지 않습니다.

[답] ❶ 10 ❷ 10

추론

4 규칙을 찾아 빈 곳에 알맞은 수를 써넣으시오.

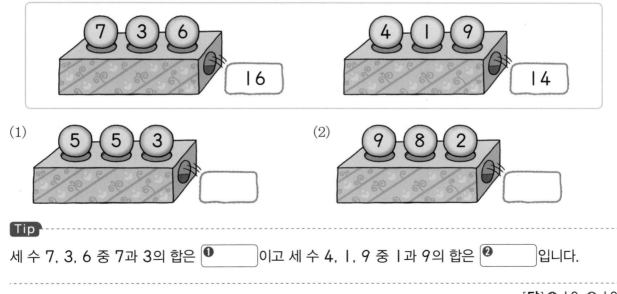

(1)

(2)

Tip

세 수 7, 3, 6 중 7과 3의 합은 **❶**[   ]이고 세 수 4, 1, 9 중 1과 9의 합은 **❷**[   ]입니다.

[답] ❶ 10 ❷ 10

창의·융합·코딩 전략 ❷

5 뺄셈의 계산 결과가 가장 큰 드론을 찾아 ○표 하시오.

14−8

( )

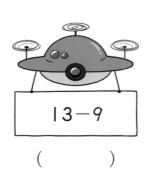

13−9

( )

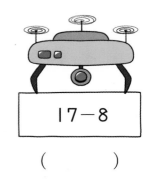

17−8

( )

> **Tip**
>
> 14−8을 계산할 때 14에서 ❶⬚를 빼어 남은 수 10에서 ❷⬚를 뺍니다.
>
> 또는 10에서 ❸⬚을 빼어 남은 수 2에 ❹⬚를 더합니다.

[답] ❶ 4 ❷ 4 ❸ 8 ❹ 4

6 빈 곳에 알맞은 덧셈식과 수를 써넣으시오.

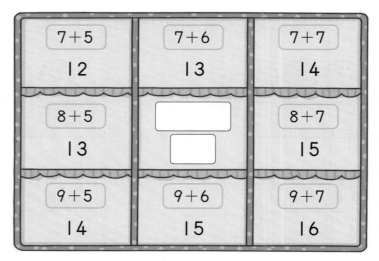

> **Tip**
>
> 오른쪽(→)으로 가면 더하는 수가 1씩 커지므로 합도 ❶⬚씩 커집니다.
>
> 아래쪽(↓)으로 가면 더해지는 수가 1씩 커지므로 합도 ❷⬚씩 커집니다.

[답] ❶ 1 ❷ 1

7 두 수의 합이 작은 것부터 순서대로 점을 이어서 그림을 완성해 보시오.

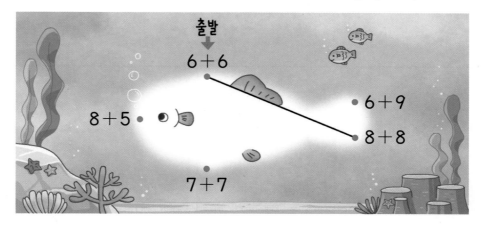

Tip

6+6을 계산할 때 6에 [❶   ]를 더해서 만든 수 10과 남은 수 [❷   ]를 더합니다.

[답] ❶ 4 ❷ 2

8 옆으로 뺄셈식이 되는 세 수를 찾아 ⬭−⬭=⬭표 하시오.

13	−	5	=	8	4	2
10		6		16	7	9
17		8		10	3	8
16		11		4	7	8

뺄셈식을 2개 더 찾아보세요.

Tip

세 수로 만든 뺄셈식 ①−②=③에서 가장 큰 수는 [❶   ]번 칸의 수입니다.

[답] ❶ ①

여러 가지 모양,
시계 보기와 규칙 찾기

학습할 내용

❶ ▢ 모양 알아보기 ❷ ▲ 모양 알아보기
❸ ⬤ 모양 알아보기

❹ 시계 보기
❺ 규칙 찾기
❻ 수 배열표에서 규칙 찾기

개념 1 ⬜ 모양

[관련 단원] 여러 가지 모양

- ⬜ 모양 찾아보기 ➡ [칠판], [책], [공책]

- ⬜ 모양 살펴보기

뾰족한 곳
편평한 선

뾰족한 곳이 **4**군데입니다.
편평한 선이 **4**군데입니다.

(말풍선) 수학책도 ⬜ 모양이에요.

달력은 ⬜ 모양입니다. 뾰족한 곳이 ❶[   ]군데이고, 편평한 선이 ❷[   ]군데입니다.

답 ❶ 4 ❷ 4

개념 2 🔺 모양

[관련 단원] 여러 가지 모양

- 🔺 모양 찾아보기 ➡ [삼각형], [삼각자], [횡단보도 표지판]

- 🔺 모양 살펴보기

뾰족한 곳
편평한 선

뾰족한 곳이 **3**군데입니다.
편평한 선이 **3**군데입니다.

(말풍선) 옷걸이도 🔺 모양이에요.

트라이앵글은 🔺 모양입니다. 뾰족한 곳이 ❶[   ]군데이고, 편평한 선이 ❷[   ]군데입니다.

답 ❶ 3 ❷ 3

개념 3 ⬤ 모양

[관련 단원] 여러 가지 모양

- ⬤ 모양 찾아보기 ➡ [바퀴], [시계], [자전거 바퀴]

- ⬤ 모양 살펴보기

뾰족한 곳이 없습니다.
편평한 선이 없습니다.

(말풍선) 훌라후프도 ⬤ 모양이에요.

동전은 ⬤ 모양입니다. 뾰족한 곳이 ❶[   ]고, 편평한 선이 ❷[   ]습니다.

답 ❶ 없 ❷ 없

1-1 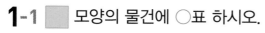 모양의 물건에 ◯표 하시오.

(   ) (   ) (   )

• **풀이** ▢ 모양은 뾰족한 곳이 **❶**[   ] 군데이고, 편평한 선이

❷[   ] 군데입니다.   **답 ❶** 4 **❷** 4

1-2 ▢ 모양의 물건이 아닌 것에 ✕표 하시오.

(   ) (   ) (   )

2-1 ▲ 모양의 물건에 ◯표 하시오.

(   ) (   ) (   )

• **풀이** ▲ 모양은 뾰족한 곳이 **❶**[   ] 군데이고, 편평한 선이

❷[   ] 군데입니다.   **답 ❶** 3 **❷** 3

2-2 ▲ 모양의 물건이 아닌 것에 ✕표 하시오.

(   ) (   ) (   )

3-1 ● 모양의 물건에 ◯표 하시오.

(   ) (   ) (   )

• **풀이** ● 모양은 뾰족한 곳이 **❶**[   ] 고, 편평한 선이 **❷**[   ]

습니다.   **답 ❶** 없 **❷** 없

3-2 ● 모양의 물건이 아닌 것에 ✕표 하시오.

(   ) (   ) (   )

개념 4 시계 보기

◎ 몇 시 알아보기

긴바늘이 12를 가리키면 '몇 시'입니다.
짧은바늘이 8을 가리키므로 8시입니다.
여덟 시라고 읽습니다.

◎ 몇 시 30분 알아보기

긴바늘이 6을 가리키면 '몇 시 30분'입니다.
짧은바늘이 4와 5 사이를 가리키므로
4시 30분입니다.
네 시 삼십 분이라고 읽습니다.

[관련 단원] 시계 보기와 규칙 찾기

짧은바늘이 7과 8 사이, 긴바늘
이 6을 가리키므로

❶ [   ] 시 ❷ [   ] 분입니다.

답 ❶ 7 ❷ 30

개념 5 규칙 찾기

규칙 나무와 다람쥐가 반복됩니다.

따라서 ☐ 안에 알맞은 그림은 다람쥐입니다.

[관련 단원] 시계 보기와 규칙 찾기

사과, ❶ [   ], ❷ [   ] 이 반복
되는 규칙입니다.

답 ❶ 귤 ❷ 귤

개념 6 수 배열표에서 규칙 찾기

1	2	3	4	5	6	7	8	9	10
11	12	13	14	15	16	17	18	19	20
21	22	23	24	25	26	27	28	29	30
31	32	33	34	35	36	37	38	39	40

① ----에 있는 수는 11부터 시작하여 오른쪽으로 1칸
갈 때마다 1씩 커집니다.
② ----에 있는 수는 3부터 시작하여 아래쪽으로 1칸 갈
때마다 10씩 커집니다.

[관련 단원] 시계 보기와 규칙 찾기

왼쪽 수 배열표의 일부입니다.

25	26	27	28	29	30

➡ ❶ [   ] 부터 시작하여 오른
쪽으로 1칸 갈 때마다
❷ [   ] 씩 커집니다.

답 ❶ 25 ❷ 1

4-1 시계가 나타내는 시각을 쓰시오.

☐ 시

• **풀이** • 시계의 짧은바늘이 7, 긴바늘이 **❶**☐ 를 가리키므로

❷☐ 시입니다.   답 **❶** 12 **❷** 7

4-2 시계가 나타내는 시각을 쓰시오.

☐ 시 ☐ 분

5-1 규칙에 따라 ☐ 안에 알맞은 그림을 찾아 ◯표 하시오.

(🎒 , 👟)

• **풀이** • 가방, **❶**☐ 이 반복됩니다. 따라서 ☐ 안에 알맞은 그림

은 **❷**☐ 입니다.   답 **❶** 신발 **❷** 가방

5-2 규칙에 따라 ☐ 안에 알맞은 그림을 찾아 ◯표 하시오.

(🚗 , 💜)

6-1 색칠한 수의 규칙을 찾아 ☐ 안에 알맞은 수를 써넣으시오.

21	22	23	24	25	26	27	28	29	30
31	32	33	34	35	36	37	38	39	40
41	42	43	44	45	46	47	48	49	50

규칙 31부터 시작하여 오른쪽으로
        1칸 갈 때마다 ☐씩 커집니다.

• **풀이** • 31부터 시작하여 **❶**☐ 씩 **❷**☐ 집니다.

답 **❶** 1 **❷** 커

6-2 색칠한 수의 규칙을 찾아 ☐ 안에 알맞은 수를 써넣으시오.

51	52	53	54	55	56	57	58	59	60
61	62	63	64	65	66	67	68	69	70
71	72	73	74	75	76	77	78	79	80

규칙 55부터 시작하여 아래쪽으로
        1칸 갈 때마다 ☐씩 커집니다.

3
주

예제 1 모양 찾기

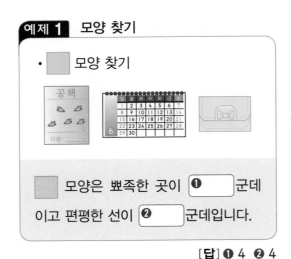

• ▢ 모양 찾기

▢ 모양은 뾰족한 곳이 ❶[ ]군데
이고 편평한 선이 ❷[ ]군데입니다.

[답] ❶ 4 ❷ 4

1 ▢ 모양은 모두 몇 개입니까?

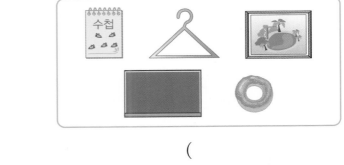

(   )

예제 2 같은 모양 모으기

• ▲ 모양 모으기

▲ 모양은 뾰족한 곳이 ❶[ ]군데
이고 편평한 선이 ❷[ ]군데입니다.

[답] ❶ 3 ❷ 3

2 같은 모양끼리 선으로 이으시오.

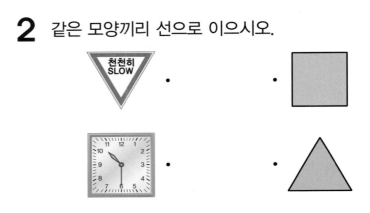

예제 3 모양 설명하기

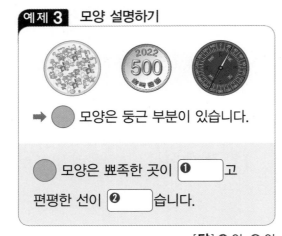

➡ ● 모양은 둥근 부분이 있습니다.

● 모양은 뾰족한 곳이 ❶[ ]고
편평한 선이 ❷[ ]습니다.

[답] ❶ 없 ❷ 없

3 설명하는 모양의 물건을 찾아 ○표 하시오.

뾰족한 곳이 없고 둥근 부분만 있습니다.

(   ) (   ) (   )

예제 4 시계가 나타내는 시각 읽기

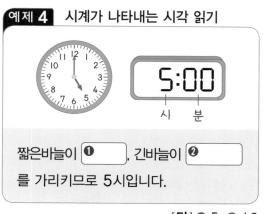

짧은바늘이 ❶ [　], 긴바늘이 ❷ [　]
를 가리키므로 5시입니다.

[답] ❶ 5 ❷ 12

4 알맞은 시각을 찾아 선으로 이으시오.

· 2시 30분

· 2시

· 3시 30분

예제 5 규칙을 설명하기

규칙 ⬤, ▲ 가 반복됩니다.

반복되는 모양은 ❶ [　] 개입니다.
따라서 ⬜ 안에 알맞은 모양은
❷ [　] 입니다.

[답] ❶ 2 ❷ ▲

5 규칙을 찾아 ⬜ 안에 알맞은 말을 써넣으시오.

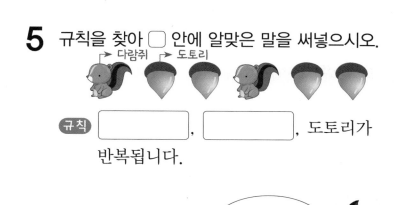

규칙 [　　　] , [　　　] , 도토리가
반복됩니다.

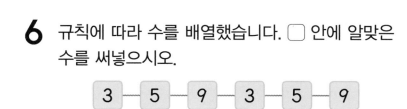
반복되는 것을 찾아봐요.

예제 6 규칙에 따라 수 배열하기

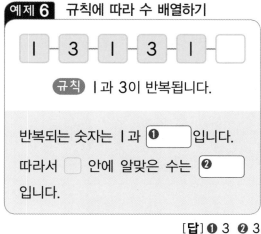

규칙 1과 3이 반복됩니다.

반복되는 숫자는 1과 ❶ [　] 입니다.
따라서 ⬜ 안에 알맞은 수는 ❷ [　]
입니다.

[답] ❶ 3 ❷ 3

6 규칙에 따라 수를 배열했습니다. ⬜ 안에 알맞은
수를 써넣으시오.

규칙 3, ⬜ , ⬜ 가 반복됩니다.

전략 1 주변에서 모양 찾기

[관련 단원] 여러 가지 모양

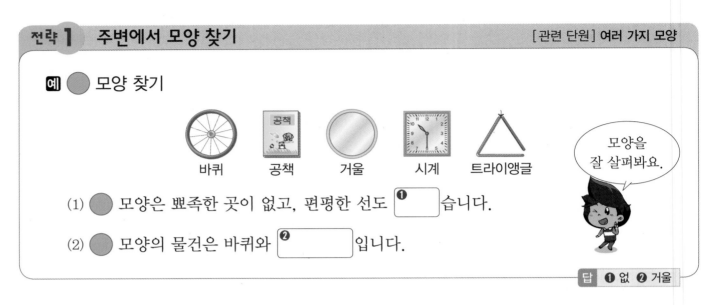

예 ⬤ 모양 찾기

바퀴 공책 거울 시계 트라이앵글

(1) ⬤ 모양은 뾰족한 곳이 없고, 편평한 선도 ❶[   ]습니다.

(2) ⬤ 모양의 물건은 바퀴와 ❷[   ]입니다.

모양을 잘 살펴봐요.

답 ❶ 없 ❷ 거울

필수예제 | 01 |

⬛ 모양의 물건을 찾아 ◯표 하시오.

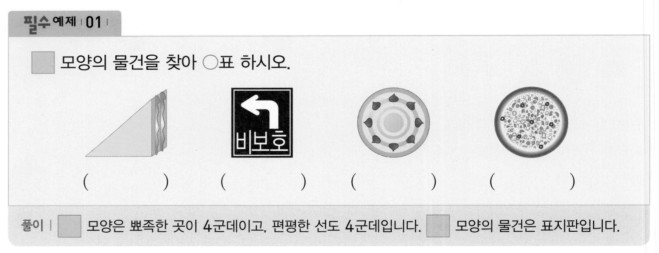

(   ) (   ) (   ) (   )

풀이 | ⬛ 모양은 뾰족한 곳이 4군데이고, 편평한 선도 4군데입니다. ⬛ 모양의 물건은 표지판입니다.

확인 1-1

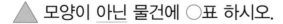 🔺 모양이 아닌 물건에 ◯표 하시오.

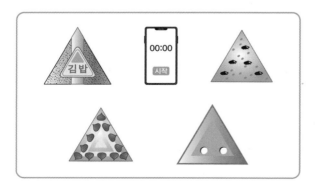

확인 1-2

다음은 같은 모양끼리 모은 것입니다. 어떤 모양을 모은 것인지 찾아 ◯표 하시오.

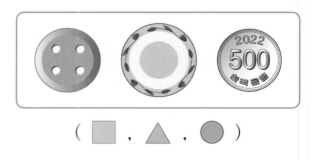

(⬛ , 🔺 , ⬤)

▶정답 및 풀이 19쪽

전략 2 모양을 설명하기 　　　　　　　　　　　　[관련 단원] 여러 가지 모양

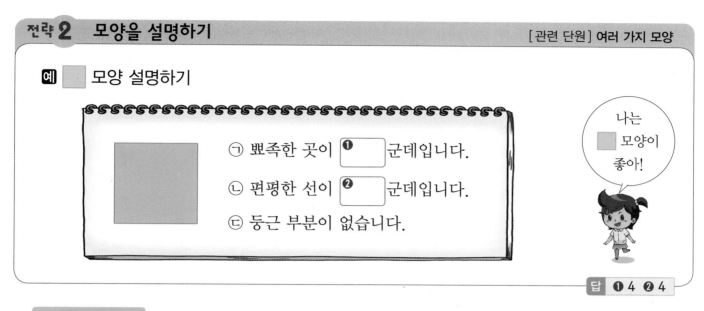

예 ⬜ 모양 설명하기

ㄱ 뾰족한 곳이 **❶**　군데입니다.

ㄴ 편평한 선이 **❷**　군데입니다.

ㄷ 둥근 부분이 없습니다.

나는 ⬜ 모양이 좋아!

답 ❶ 4 ❷ 4

필수 예제 02

▲ 모양에 대한 설명으로 옳은 것을 찾아 기호를 쓰시오.

ㄱ 편평한 선이 4군데입니다.

ㄴ 뾰족한 곳이 3군데입니다.

ㄷ 100원짜리 동전을 본뜬 모양과 같습니다.

(　　　　　　　)

풀이 | ▲ 모양은 편평한 선이 3군데입니다. 100원짜리 동전을 본뜬 모양은 ⬤ 모양과 같습니다.

확인 2-1

⬤ 모양에 대한 설명으로 옳은 것을 모두 찾아 기호를 쓰시오.

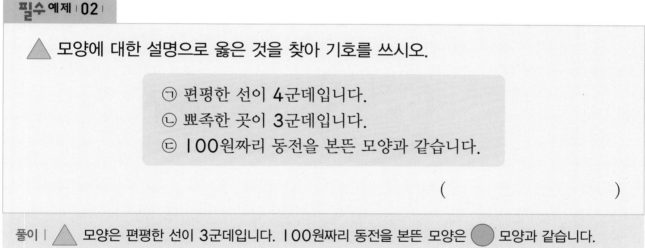

ㄱ 뾰족한 곳이 없습니다.

ㄴ 둥근 부분이 없습니다.

ㄷ 편평한 선이 없습니다.

(　　　　　　　)

확인 2-2

바르게 설명한 사람은 누구입니까?

지선: ▲ 모양은 뾰족한 곳이 없어.

선우: ⬤ 모양은 편평한 선이 1군데 있어.

아인: ⬜ 모양은 뾰족한 곳이 4군데 있어.

(　　　　　　　)

전략 **3** '몇 시'를 시계에 나타내기

[관련 단원] 시계 보기와 규칙 찾기

예 8시를 시계에 나타내기

(1) '몇 시'는 긴바늘이 12를 가리킵니다.

(2) 8시는 짧은바늘이 ❶[ ]을 가리키고,

긴바늘이 ❷[ ]를 가리킵니다.

시계에 긴바늘을 그려 봐요.

답 ❶ 8 ❷ 12 ❸

필수 예제 | 03 |

시각에 맞게 짧은바늘을 나타내시오.

9시

짧은바늘은 긴바늘보다 짧게 그려요.

풀이 | 9시는 짧은바늘이 9를 가리키도록 그립니다.

확인 **3**-1

시각에 맞게 시계에 나타내시오.

4시

확인 **3**-2

시각에 맞게 시계에 나타내시오.

11시

전략 4 규칙에 따라 그림이나 수로 나타내기

[관련 단원] 시계 보기와 규칙 찾기

예 규칙에 따라 ◯, | 로 나타내기

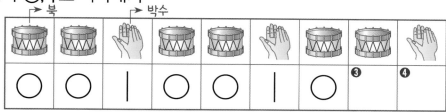

(1) 북, 북, ❶[   ]가 반복되는 규칙입니다.

(2) 북은 ❷[   ], 박수는 | 로 나타냈습니다.

답 ❶ 박수 ❷ ◯ ❸ ◯ ❹ |

필수 예제 04

규칙에 따라 수로 나타내려고 합니다. 빈칸에 알맞은 수를 써넣으시오.

5	0	5	0	5			0	5

풀이 | 불이 켜진 전구, 불이 꺼진 전구가 반복되는 규칙입니다. 불이 켜진 전구를 5, 불이 꺼진 전구를 0으로 나타냈으므로 빈칸에 알맞은 수는 차례대로 0, 5입니다.

확인 4-1

규칙에 따라 ◯, △로 나타내려고 합니다. 빈칸에 알맞은 모양을 그려 넣으시오.

◯	△	◯	◯	△	◯			

확인 4-2

규칙에 따라 수로 나타내려고 합니다. 빈칸에 알맞은 수를 써넣으시오.

3	3	1	3	3	1	3		

[관련 단원] 여러 가지 모양

1 다음 물건과 같은 모양을 찾아 모두 색칠하시오.

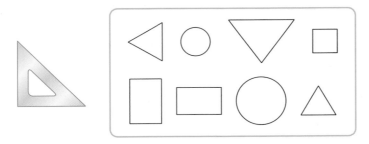

Tip

• 왼쪽 물건은 뾰족한 곳이 **❶**[ ]군데
이고, 편평한 선이 **❷**[ ]군데입니다.

답 ❶ 3 ❷ 3

[관련 단원] 여러 가지 모양

2 같은 모양의 조각끼리 모은 사람은 누구인지 쓰시오.

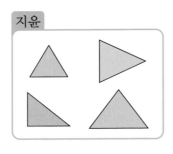

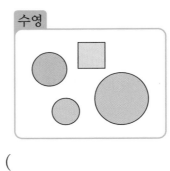

(   )

Tip

• ⬤ 모양은 뾰족한 곳이 **❶**[ ]고
◻ 모양은 뾰족한 곳이 **❷**[ ]습
니다.

답 ❶ 없 ❷ 있

[관련 단원] 여러 가지 모양

3 ❶어떤 물건의 모양을 설명한 것입니다. **❷**알맞은 물건을 찾아 ○표 하시오.

❶
• 뾰족한 곳이 **4**군데입니다.
• 편평한 선이 **4**군데입니다.

❷

(   ) (   ) (   )

Tip

❶ 설명하고 있는 모양은 **❶**[ ] 모양
입니다.

❷ 단추는 △ 모양, 시계는 ⬤ 모양,
편지 봉투는 **❷**[ ] 모양입니다.

답 ❶[ ] ❷[ ]

[관련 단원] 시계 보기와 규칙 찾기

4 6시를 바르게 나타낸 시계를 찾아 ○표 하시오.

(   ) (   ) (   )

Tip
• 6시는 짧은바늘이 ❶   , 긴바늘
  이 ❷   를 가리킵니다.

답 ❶ 6 ❷ 12

[관련 단원] 시계 보기와 규칙 찾기

5 서연이가 학교에 가는 시각은 몇 시 몇 분인지 쓰시오.

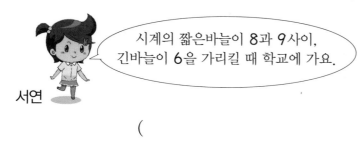

시계의 짧은바늘이 8과 9사이,
긴바늘이 6을 가리킬 때 학교에 가요.

서연

(   )

Tip
• 긴바늘이 6을 가리키므로
  '몇 시 ❶   분'입니다.
• 짧은바늘이 8과 9 사이를 가리키므로
  ❷   시 30분입니다.

답 ❶ 30 ❷ 8

3
주

[관련 단원] 시계 보기와 규칙 찾기

6 규칙에 따라 알맞게 색칠해 보시오.

→ 빨간색 → 노란색

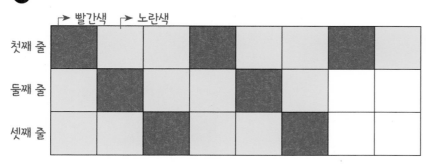

첫째 줄

둘째 줄

셋째 줄

Tip
• 첫째 줄은 빨간색, 노란색, 노란색이
  반복됩니다.
• 둘째 줄은 노란색, 빨간색,
  ❶   이 반복됩니다.
• 셋째 줄은 노란색, 노란색,
  ❷   이 반복됩니다.

답 ❶ 노란색 ❷ 빨간색

전략 1 물건을 본떠 모양 그리기　　　　　　[관련 단원] 여러 가지 모양

예 컵의 아랫부분을 본뜨기

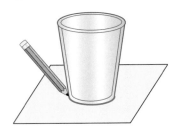

본을 뜬 모양은 뾰족한 곳이 ❶[　　]고, 둥근 부분만 있습니다.

➡ 컵의 아랫부분을 본뜬 모양은 ❷[　　] 모양입니다.

답 ❶ 없 ❷ ⬤

필수 예제 ┃ 01 ┃

상자를 종이 위에 대고 본을 떴을 때 나오는 모양을 찾아 ○표 하시오.

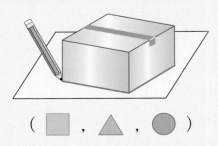

(⬛ , 🔺 , ⬤)

풀이 ┃ 상자를 본뜬 모양은 뾰족한 곳이 4군데, 편평한 선이 4군데이므로 ⬛ 모양입니다.

확인 1-1

다음은 준수가 지우개를 본뜬 모양의 일부분입니다. 모양을 완성하시오.

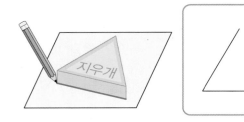

확인 1-2

다음 물건의 아랫부분에 물감을 묻혀 찍었을 때 나오는 모양을 찾아 ○표 하시오.

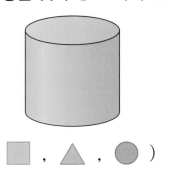

(⬛ , 🔺 , ⬤)

전략 2 여러 가지 모양 꾸미기　　　　　　[관련 단원] 여러 가지 모양

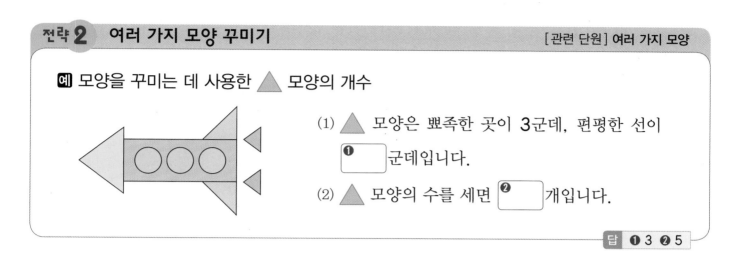

예 모양을 꾸미는 데 사용한 ▲ 모양의 개수

(1) ▲ 모양은 뾰족한 곳이 3군데, 편평한 선이 ❶◯◯◯군데입니다.

(2) ▲ 모양의 수를 세면 ❷◯◯◯개입니다.

답 ❶ 3 ❷ 5

필수 예제 02

다음 모양을 꾸미는 데 사용한 모양을 세어 빈칸에 알맞은 수를 써넣으시오.

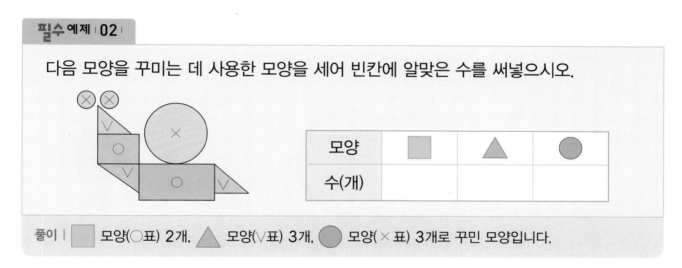

모양	■	▲	●
수(개)			

풀이 | ■ 모양(○표) 2개, ▲ 모양(∨표) 3개, ● 모양(×표) 3개로 꾸민 모양입니다.

확인 2-1

다음 모양을 꾸미는 데 사용한 모양의 수를 각각 세어 보시오.

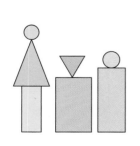

■ 모양	개
▲ 모양	개
● 모양	개

확인 2-2

다음 모양을 꾸미는 데 사용한 모양의 수를 각각 세어 보시오.

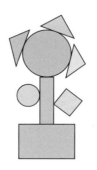

■ 모양	개
▲ 모양	개
● 모양	개

전략 3 '몇 시 30분'을 시계에 나타내기

[관련 단원] 시계 보기와 규칙 찾기

📒 3시 30분을 시계에 나타내기

(1) '몇 시 30분'은 긴바늘이 6을 가리킵니다.

(2) 3시 30분은 짧은바늘이 ❶[ ]과 4 사이를 가리키고,

긴 바늘이 ❷[ ]을 가리킵니다.

답 ❶ 3 ❷ 6 ❸

필수 예제 03

시각에 맞게 짧은바늘을 나타내시오.

7시 30분

짧은바늘은 긴바늘보다 짧게 그려요.

풀이 | 7시 30분은 짧은바늘이 7과 8 사이, 긴바늘이 6을 가리키도록 그립니다.

확인 3-1

시각에 맞게 시계에 나타내시오.

2시 30분

확인 3-2

시각에 맞게 시계에 나타내시오.

10시 30분

전략 4 규칙에 따라 수 배열하기

[관련 단원] 시계 보기와 규칙 찾기

예 규칙에 따라 수 배열하기

규칙 5, 7을 반복합니다.

5부터 시작해요.

5 — 7 — 5 — 7 — 5 — ❶ — ❷

(1) 5, 7을 반복하는 규칙입니다.

(2) 빈칸에 알맞은 수는 차례대로 ❶ ⬚ , ❷ ⬚ 입니다.

답 ❶ 7 ❷ 5

필수예제 04

규칙 에 따라 빈칸에 알맞은 수를 써넣으시오.

규칙 10부터 시작하여 10씩 커집니다.

10부터 시작해요.

10 — 20 — 30 — 40 — ⬚ — ⬚ — ⬚

풀이 ┃ 10부터 시작하여 10씩 커지는 규칙입니다. 40보다 10만큼 더 큰 수는 50, 50보다 10만큼 더 큰 수는 60, 60보다 10만큼 더 큰 수는 70입니다.

확인 4-1

규칙 에 따라 빈칸에 알맞은 수를 써넣으시오.

규칙 8, 2, 2를 반복합니다.

8 — ⬚ — ⬚ — ⬚ — ⬚ — ⬚

확인 4-2

규칙 에 따라 빈칸에 알맞은 수를 써넣으시오.

규칙 15부터 시작하여 5씩 커집니다.

15 — 20 — ⬚ — ⬚ — ⬚

[관련 단원] 여러 가지 모양

1 같은 모양의 물건을 모았습니다. 한 개의 물건을 더 모으려고 할 때 알맞은 물건을 찾아 ○표 하시오.

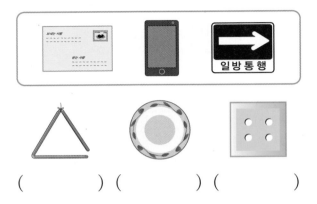

(   ) (   ) (   )

Tip

• 뾰족한 곳이 4군데, 편평한 선이 **❶**[   ]군데인 모양의 물건을 모았습니다.

• **❷**[   ] 모양의 물건을 찾습니다.

답 **❶** 4 **❷** [ ]

[관련 단원] 여러 가지 모양

2 현지가 어떤 물건을 종이에 대고 본떴더니 ● 모양이었습니다. 현지가 본뜬 물건을 찾아 ○표 하시오.

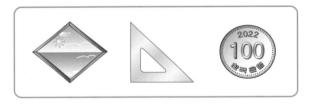

Tip

• ● 모양은 뾰족한 곳이 **❶**[   ]고, 편평한 선이 **❷**[   ]습니다.

답 **❶** 없 **❷** 없

[관련 단원] 여러 가지 모양

3 색종이로 악어 모양을 꾸몄습니다. ▲ 모양은 모두 몇 개입니까?

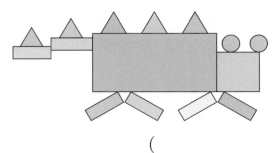

(   )

• ▲ 모양은 뾰족한 곳이 **❶**[   ]군데, 편평한 선이 **❷**[   ]군데입니다.

답 **❶** 3 **❷** 3

[관련 단원] 시계 보기와 규칙 찾기

4 12시 30분을 바르게 나타낸 사람을 찾아 쓰시오.

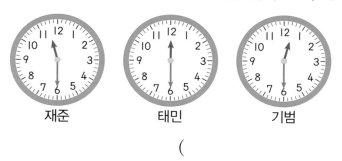

재준   태민   기범

(   )

Tip
· 12시 30분은 시계의 짧은바늘이
  ❶[   ]와 ❷[   ] 사이를 가리킵
  니다.

답 ❶ 12 ❷ 1

[관련 단원] 시계 보기와 규칙 찾기

5 규칙에 따라 빈 시계에 시곗바늘을 알맞게 그려 보시오.

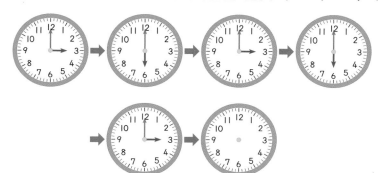

Tip
· 긴바늘은 항상 12를 가리키고, 짧은
  바늘이 가리키는 숫자는 ❶[   ],
  ❷[   ]이 반복됩니다.

답 ❶ 3 ❷ 6

[관련 단원] 시계 보기와 규칙 찾기

6 ❶규칙에 따라 ❷빈칸에 알맞은 수를 써넣으시오.

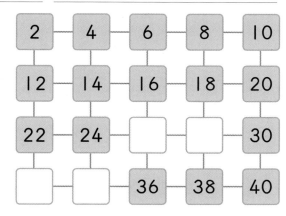

2	4	6	8	10
12	14	16	18	20
22	24			30
		36	38	40

Tip
❶ 오른쪽으로 갈수록 ❶[   ]씩 커지
  고, 아래쪽으로 갈수록 ❷[   ]씩
  커집니다.

❷ 24보다 2만큼 더 큰 수는 ❸[   ]
  이고, 22보다 10만큼 더 큰 수는
  ❹[   ]입니다.

답 ❶ 2 ❷ 10 ❸ 26 ❹ 32

대표 예제 | 01 |

같은 모양의 물건을 모았습니다. 어떤 모양인지 찾아 ◯표 하시오.

(■ , ▲ , ●)

개념가이드

■ 모양은 뾰족한 곳이 ❶[ ] 군데, 편평한 선이 ❷[ ] 군데입니다.

[답] ❶ 4 ❷ 4

대표 예제 | 02 |

왼쪽 물건과 같은 모양의 물건을 찾아 ◯표 하시오.

개념가이드

바퀴는 뾰족한 곳이 ❶[ ] 고 둥근 부분만 ❷[ ] 습니다.

[답] ❶ 없 ❷ 있

대표 예제 | 03 |

물건들에서 공통으로 찾을 수 있는 모양을 찾아 ◯표 하시오.

(■ , ▲ , ●)

개념가이드

상자를 종이 위에 대고 본뜬 모양은 뾰족한 곳이 ❶[ ] 군데, 편평한 선이 ❷[ ] 군데입니다.

[답] ❶ 4 ❷ 4

대표 예제 | 04 |

모양 조각 중 ▲ 모양은 모두 몇 개입니까?

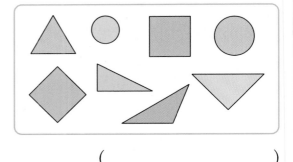

( )

개념가이드

▲ 모양은 뾰족한 곳이 ❶[ ] 군데, 편평한 선이 ❷[ ] 군데입니다.

[답] ❶ 3 ❷ 3

대표 예제 05

다음 두 물건을 본떠 그릴 수 <u>없는</u> 모양을 찾아 ×표 하시오.

(■ , ▲ , ●)

개념가이드

음료수 캔을 본떠 나오는 모양은 ❶〔　〕모양이고,

옷걸이를 본떠 나오는 모양은 ❷〔　〕모양입니다.

[답] ❶ ● ❷ ▲

대표 예제 07

다음 물건에 물감을 묻혀 찍을 때 나올 수 있는 모양을 모두 찾아 ○표 하시오.

(■ , ▲ , ●)

개념가이드

윗부분에 물감을 묻혀 찍으면 ❶〔　〕모양, 옆부분에 물감을 묻혀 찍으면 ❷〔　〕모양이 나옵니다.

[답] ❶ ▲ ❷ ■

대표 예제 06

● 모양에 대해 <u>틀리게</u> 설명한 사람은 누구인지 쓰시오.

> 태은: 뾰족한 곳이 없어요.
> 지성: 편평한 선이 ㅣ군데예요.
> 동준: 둥근 부분만 있어요.

(　　　　　　　　)

개념가이드

● 모양은 뾰족한 곳이 ❶〔　〕고 편평한 선이 ❷〔　〕습니다.

[답] ❶ 없 ❷ 없

대표 예제 08

다음 모양을 꾸미는 데 가장 많이 사용한 모양을 찾아 ○표 하시오.

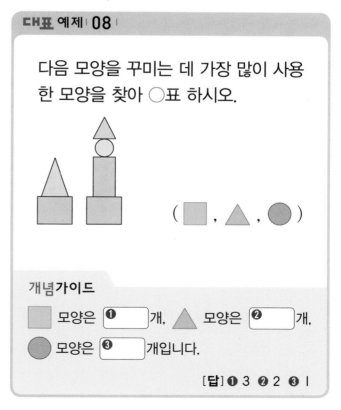

(■ , ▲ , ●)

개념가이드

■ 모양은 ❶〔　〕개, ▲ 모양은 ❷〔　〕개,

● 모양은 ❸〔　〕개입니다.

[답] ❶ 3 ❷ 2 ❸ ㅣ

대표 예제 09

7시를 바르게 나타낸 것에 ◯표 하시오.

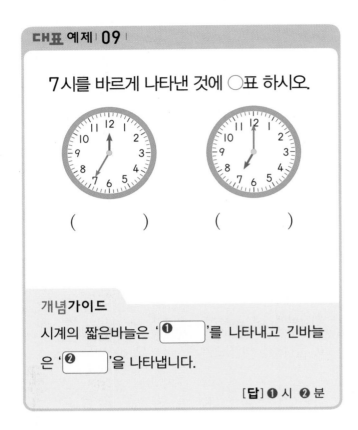

(   )   (   )

개념가이드

시계의 짧은바늘은 '**❶** [   ]'를 나타내고 긴바늘은 '**❷** [   ]'을 나타냅니다.

[답] **❶** 시 **❷** 분

대표 예제 11

짧은바늘과 긴바늘이 알맞게 그려진 시계를 모두 찾아 ◯표 하시오.

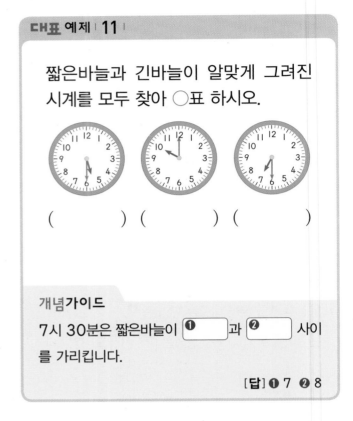

(   ) (   ) (   )

개념가이드

7시 30분은 짧은바늘이 **❶** [   ]과 **❷** [   ] 사이를 가리킵니다.

[답] **❶** 7 **❷** 8

대표 예제 10

왼쪽 시계의 시각을 오른쪽 시계에 나타내시오.

개념가이드

왼쪽 시계가 나타내는 시각은 **❶** [   ]시 **❷** [   ]분입니다.

[답] **❶** 2 **❷** 30

대표 예제 12

규칙에 따라 ☐ 안에 알맞은 그림을 찾아 ◯표 하시오.

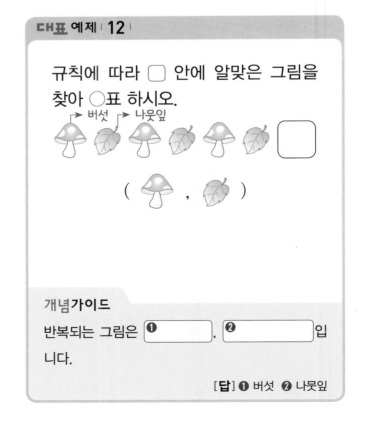

(🍄 , 🍂)

개념가이드

반복되는 그림은 **❶** [   ], **❷** [   ]입니다.

[답] **❶** 버섯 **❷** 나뭇잎

대표 예제 13

규칙에 따라 ◯와 △로 나타내시오.

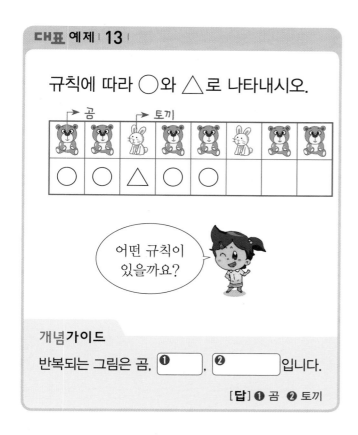

어떤 규칙이 있을까요?

개념가이드

반복되는 그림은 곰, ❶ [   ], ❷ [   ]입니다.

[답] ❶ 곰 ❷ 토끼

대표 예제 15

규칙에 따라 알맞게 색칠해 보시오.

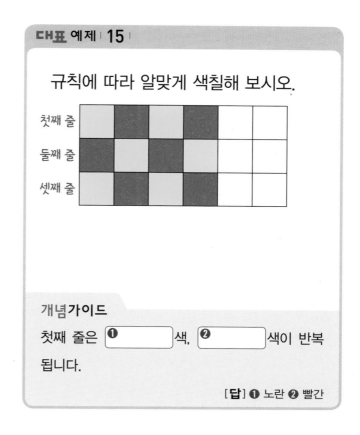

개념가이드

첫째 줄은 ❶ [   ]색, ❷ [   ]색이 반복됩니다.

[답] ❶ 노란 ❷ 빨간

대표 예제 14

규칙에 따라 빈칸에 알맞은 그림을 그리고 수를 써넣으시오.

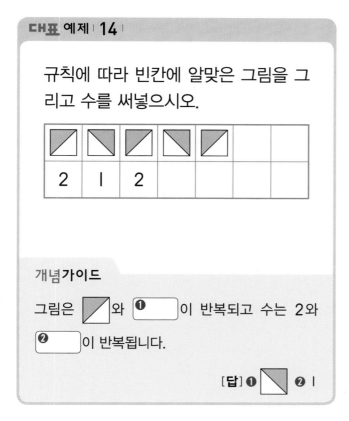

개념가이드

그림은 [◸]와 ❶ [   ]이 반복되고 수는 2와 ❷ [   ]이 반복됩니다.

[답] ❶ [◸] ❷ |

대표 예제 16

색칠한 수에는 어떤 규칙이 있는지 ◻ 안에 알맞은 수를 써넣으시오.

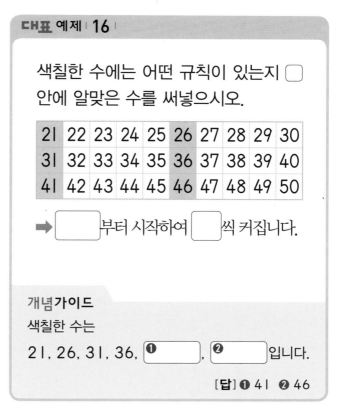

➡ [   ]부터 시작하여 [ ]씩 커집니다.

개념가이드

색칠한 수는
21, 26, 31, 36, ❶ [   ], ❷ [   ]입니다.

[답] ❶ 41 ❷ 46

1 △ 모양을 모두 찾아 기호를 쓰시오.

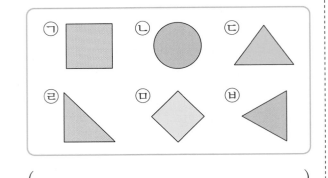

( )

Tip

△ 모양은 뾰족한 곳이 [❶]군데, 편평한 선이
[❷]군데입니다.

답 ❶ 3 ❷ 3

2 왼쪽은 어떤 모양의 부분을 나타낸 그림
입니다. 이와 같은 모양의 물건을 모두
찾아 ◯표 하시오.

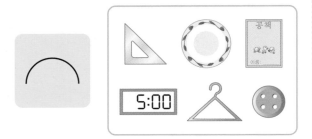

Tip

왼쪽 그림은 뾰족한 곳이 [❶]고 둥근 부분만
[❷]습니다.

답 ❶ 없 ❷ 있

3 설명에 맞는 모양의 물건을 찾아 ◯표
하시오.

> 편평한 선이 **4**군데입니다.

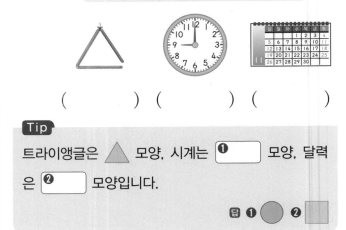

( ) ( ) ( )

Tip

트라이앵글은 △ 모양, 시계는 [❶] 모양, 달력
은 [❷] 모양입니다.

답 ❶ ⬤ ❷ ▢

4 그림에서 ▢ 모양을 모두 찾아 색연필
로 따라 그리고, 수를 세어 보시오.

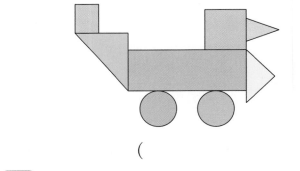

( )

Tip

▢ 모양은 편평한 선이 [❶]군데이고 둥근 부분
이 [❷]습니다.

답 ❶ 4 ❷ 없

5 5시 30분을 바르게 나타낸 것에 ◯표 하시오.

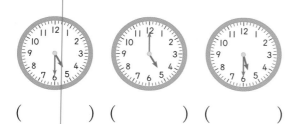

(   ) (   ) (   )

Tip

5시 30분은 시계의 짧은바늘이 5와 [❶] 사이를 가리키고 긴바늘이 [❷] 을 가리킵니다.

답 ❶ 6 ❷ 6

6 현지가 3시 30분에 숙제를 시작하여 5시에 끝마쳤습니다. 숙제를 시작한 시각과 끝마친 시각을 시계에 나타내시오.

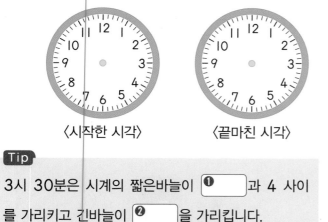

〈시작한 시각〉   〈끝마친 시각〉

Tip

3시 30분은 시계의 짧은바늘이 [❶] 과 4 사이를 가리키고 긴바늘이 [❷] 을 가리킵니다.

답 ❶ 3 ❷ 6

7 ▢ 안에 알맞은 모양을 그려 규칙을 설명하시오.

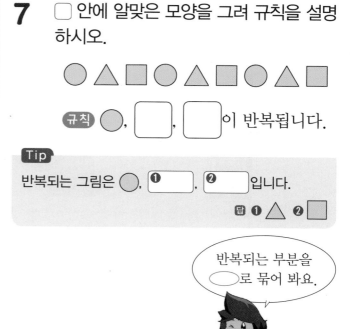

규칙 ◯, [   ], [   ] 이 반복됩니다.

Tip

반복되는 그림은 ◯, [❶], [❷] 입니다.

답 ❶ △ ❷ ▢

반복되는 부분을 ◯로 묶어 봐요.

8 규칙을 찾아서 색칠해 보시오.

1	2	3	4	5	6	7	8	9	10
11	12	13	14	15	16	17	18	19	20
21	22	23	24	25	26	27	28	29	30
31	32	33	34	35	36	37	38	39	40
41	42	43	44	45	46	47	48	49	50

Tip

색칠한 수는 1부터 시작하여 [❶] 씩 커집니다.

19 다음에 색칠해야 하는 수는 [❷] 입니다.

답 ❶ 3 ❷ 22

누구나 만점 전략

맞은 개수

개

01 ■ 모양의 물건을 모두 찾아 기호를 쓰시오.

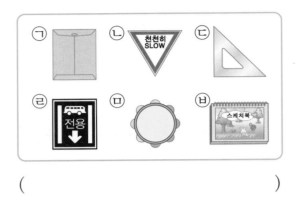

(   )

02 진영이가 물건을 본떠 ● 모양을 그리려고 합니다. ● 모양을 본뜰 수 있는 물건에 ○표 하시오.

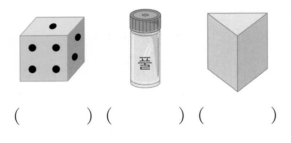

(   ) (   ) (   )

03 관계있는 것끼리 선으로 이으시오.

뾰족한 곳이 3군데입니다.	편평한 선이 없습니다.

•   •

                        ●

04 다음 모양을 꾸미는 데 가장 많이 사용한 모양을 찾아 ○표 하시오.

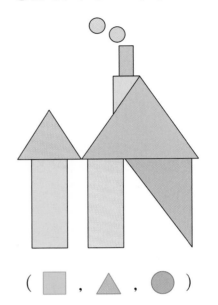

(■ , ▲ , ●)

05 같은 모양끼리 모았습니다. 잘못 모은 것에 ×표 하시오.

(   )

(   )

(   )

06 시각을 쓰시오.

□시 □분

07 시각에 맞게 시곗바늘을 그려 넣으시오.

08 규칙에 따라 □ 안에 알맞은 그림을 찾아 ○표 하시오.

(🌙 , ⭐)

09 규칙에 따라 무늬를 완성하시오.

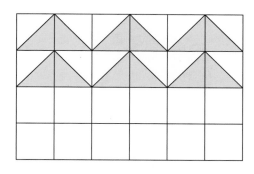

10 색칠한 수의 규칙을 쓴 것입니다. □ 안에 알맞은 수를 써넣으시오.

11	12	13	14	15	16	17	18	19	20
21	22	23	24	25	26	27	28	29	30
31	32	33	34	35	36	37	38	39	40

11부터 시작하여 □씩 커집니다.

11, 13, 15, 17, 19……

문제 해결

1 위 칠교판을 보고 7개의 칠교판 조각 중 △ 모양의 조각은 모두 몇 개인지 세어 보시오.

(   )

2 위 대화를 읽고 막대 사탕의 규칙을 설명했습니다. 알맞은 말을 찾아 ○표 하시오.

막대 사탕의 크기가 (큰 , 작은) 것과 (큰 , 작은) 것이 반복됩니다.

창의·융합·코딩 전략 ❷

1 서연이가 여러 가지 모양의 물건을 모았습니다. 서연이의 말을 읽고 더 모아야 하는 물건의 모양을 찾아 ○표 하시오.

■ 모양 2개,
▲ 모양 1개,
● 모양 3개를
모으려고 해요.

서연

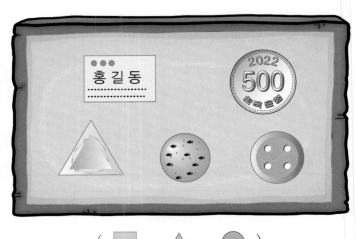

(■ , ▲ , ●)

> **Tip**
>
> 서연이가 모은 물건은 ■ 모양이 ❶ [　] 개, ▲ 모양이 ❷ [　] 개, ● 모양이 3개입니다.

[답] ❶ 1 ❷ 1

2 종은이의 일기입니다. 일기에 나온 시각에 알맞게 시곗바늘을 그려 넣으시오.

○월 ○일 ○요일
10시에 운동장에서 친구들을 만났다.
12시 30분에 분식집에 가서 떡볶이를
먹었다.
떡볶이는 정말 맛있다.

〈친구들을 만난 시각〉

〈분식집에 간 시각〉

> **Tip**
>
> '몇 시'는 시계의 긴바늘이 ❶ [　] 를 가리키고, '몇 시 30분'은 시계의 긴바늘이 ❷ [　] 을 가리킵니다.

[답] ❶ 12 ❷ 6

3 초록 식물원에는 꽃밭마다 모양이 다른 도장이 있습니다. 수첩에 아래와 같이 도장을 찍었을 때, 지나온 꽃밭은 어디입니까? (단, 도장의 아랫부분에 잉크를 묻혀 찍습니다.)

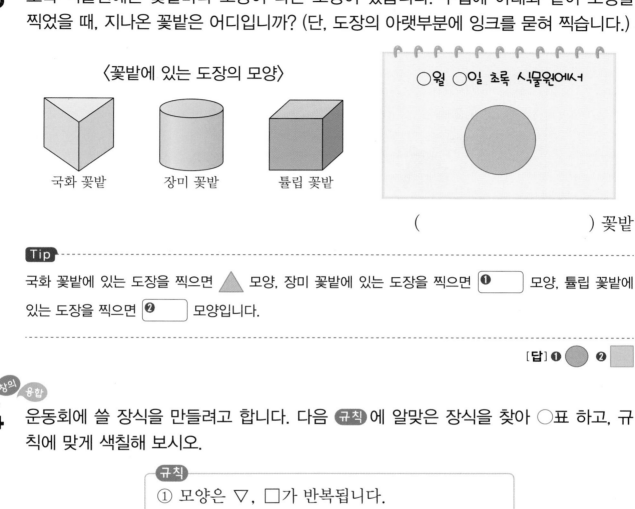

〈꽃밭에 있는 도장의 모양〉

국화 꽃밭   장미 꽃밭   튤립 꽃밭

○월 ○일 초록 식물원에서

(   ) 꽃밭

Tip

국화 꽃밭에 있는 도장을 찍으면 △ 모양, 장미 꽃밭에 있는 도장을 찍으면 ⓞ [   ] 모양, 튤립 꽃밭에 있는 도장을 찍으면 ❷ [   ] 모양입니다.

[답] ❶ ● ❷ ■

4 운동회에 쓸 장식을 만들려고 합니다. 다음 규칙 에 알맞은 장식을 찾아 ○표 하고, 규칙에 맞게 색칠해 보시오.

규칙

① 모양은 ▽, □가 반복됩니다.
② 색깔은 빨간색, 노란색, 파란색이 반복됩니다.

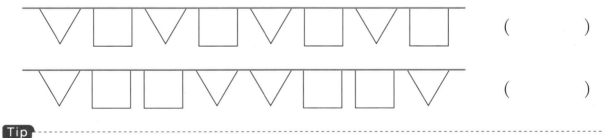

(   )

(   )

Tip

위쪽 장식은 ▽, ❶ [   ]가 반복되는 규칙입니다.

아래쪽 장식은 ▽, □, ❷ [   ], ❸ [   ]가 반복되는 규칙입니다.

[답] ❶ □ ❷ □ ❸ ▽

추론

5 준우가 , ▲, ● 모양을 이용한 그림을 그렸습니다. 준우의 설명을 읽고 준우가 그린 그림을 찾아 ○표 하시오.

■ 모양 2개,

▲ 모양 2개,

● 모양 2개를

그렸어요.

준우

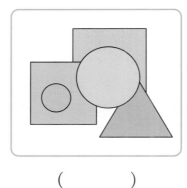

(   )

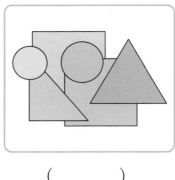

(   )

Tip

둥근 부분만 있는 모양은 ● 모양이고, 뾰족한 곳이 4군데인 모양은 **❶**☐ 모양, 뾰족한 곳이 3군데인 모양은 **❷**☐ 모양입니다.

[답] ❶  ❷ ▲

문제 해결

6 서연이가 말한 규칙에 따라 장식장의 칸에 액자를 넣어 두려고 합니다. 액자를 넣어 둘 칸에 ☐표 하시오.

각 줄의 첫째 칸부터 시작하여 두 칸을 비우고 다음 칸에 액자를 넣어 둡니다.

서연

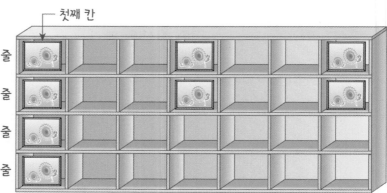

첫째 칸

첫째 줄
둘째 줄
셋째 줄
넷째 줄

Tip

각 줄에서 액자를 넣어 둘 칸은 첫째 칸, **❶**☐째 칸, **❷**☐째 칸입니다.

[답] ❶ 넷 ❷ 일곱

7 준우의 생일 파티 초대장에 시각이 지워졌습니다. 준우의 설명을 읽고 생일 파티가 몇 시에 열리는지 쓰시오.

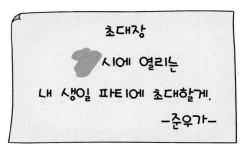

준우

(   )

Tip

'몇 시'에 시계의 긴바늘은 [❶   ]를 가리키고, '몇 시 30분'에 시계의 긴바늘은 [❷   ]을 가리킵니다.

[답] ❶ 12 ❷ 6

3
주

8 다음에 맞게 모양을 색칠하여 그림을 완성하시오.

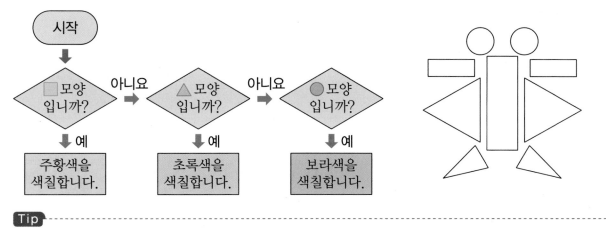

Tip

뽀족한 곳이 4군데, 편평한 선이 4군데인 모양은 [❶   ] 모양이고 [❷   ] 색을 색칠합니다.

[답] ❶ ⬜ ❷ 주황

웬 주머니야?

주머니에 각각 다른 수의 사탕이 들어 있어.

빨강, 파랑, 노랑 주머니에 각각 사탕이 몇 개 들어 있니?

빨강에는 4개, 파랑에는 6개, 노랑에는 5개가 들어 있어.

사탕이 모두 몇 개인지 계산해 줄래?

$$4 + 6 + 5 = 15$$

10을 만들어 계산하면 사탕은 모두 15개야.

네가 6개짜리 사탕을 먹어. 나는 4개짜리 사탕을 먹을게.

웬일로 적은 수의 사탕을 고른 거지?

응~ 내 것은 왕사탕이거든.

윽~ 내 것보다 훨씬 크네.

신유형·신경향·서술형 전략

1 고대 이집트에서는 10을 $\cap$으로 나타내고, 1을 |으로 나타냈습니다. 물음에 답하시오.

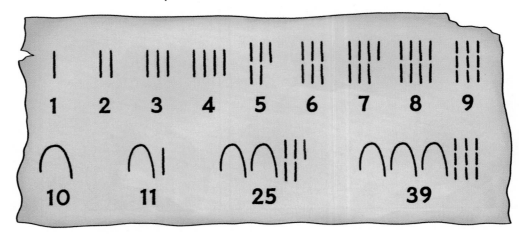

❶ 고대 이집트 수가 나타내는 현재의 수를 쓰고, 두 가지로 읽어 보시오.

| 고대 이집트 수 | 수 쓰기 | 수 읽기 |

❷ 주어진 수를 고대 이집트 수로 나타내어 보시오.

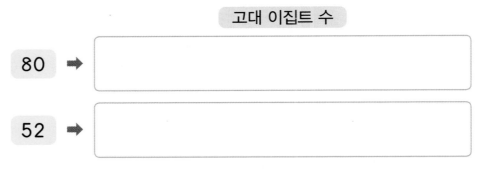

고대 이집트 수

80 ➡

52 ➡

Tip

$\cap$의 개수는 ❶ ⬜ 개씩 묶음의 수를 나타내고, |의 개수는 ❷ ⬜ 의 수를 나타냅니다.

[답] ❶ 10 ❷ 낱개

[관련 단원] 덧셈과 뺄셈(1)

2 동물 친구들이 올바른 계산이 되는 길을 따라가면 간식을 먹을 수 있습니다.
간식을 먹을 수 있도록 따라가야 하는 길을 표시해 보시오.

❶

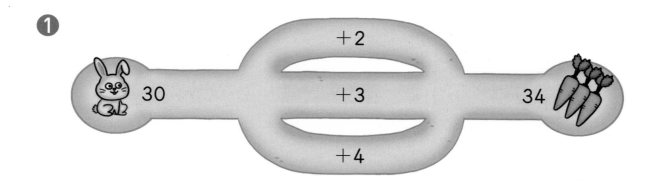

❷

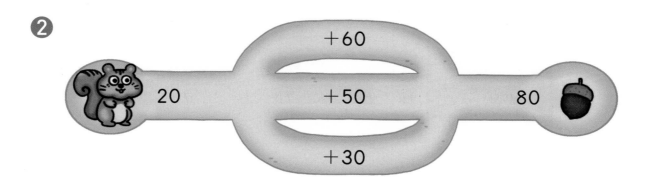

❸

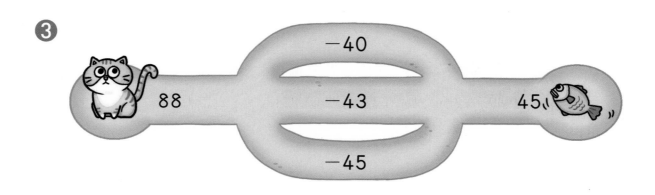

Tip
❶ 34는 30보다 낱개의 수가 [❶   ] 만큼 더 큰 수이므로 30에 [❷   ] 를 더해야 합니다.

[답]❶ 4 ❷ 4

[관련 단원] 여러 가지 모양

3 빈 곳에 알맞은 퍼즐 조각을 채워 ■, ▲, ● 모양을 완성하려고 합니다. 알맞은 퍼즐 조각을 찾아 ○표 하시오.

❶

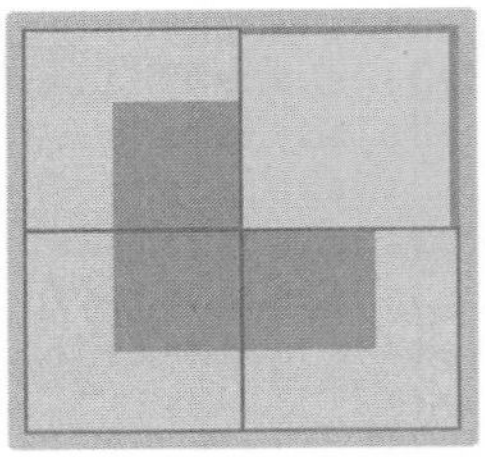

(   ) (   ) (   )

❷

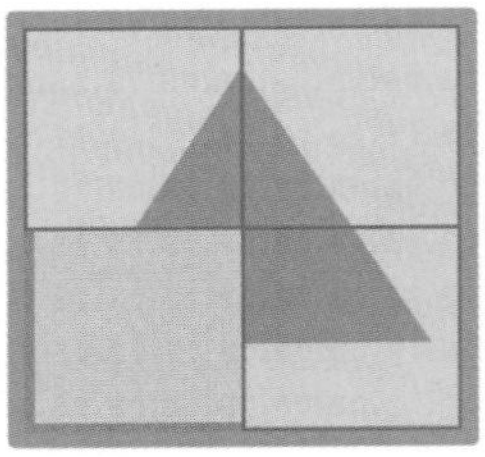

(   ) (   ) (   )

❸

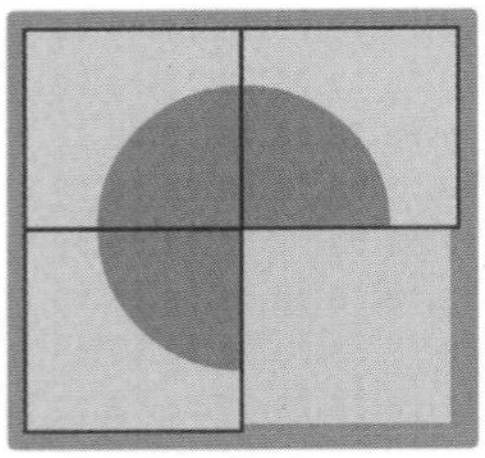

(   ) (   ) (   )

Tip

■ 모양은 뾰족한 곳이 ❶ [   ]군데, 편평한 선이 ❷ [   ]군데이고 ▲ 모양은 뾰족한 곳이 ❸ [   ]군데,

편평한 선이 ❹ [   ]군데입니다. 또, ● 모양은 뾰족한 곳이 없고 둥근 부분이 있습니다.

[답] ❶ 4 ❷ 4 ❸ 3 ❹ 3

▶정답 및 풀이 27쪽

[관련 단원] **덧셈과 뺄셈**(2)

4 계산을 해 보고, 계산 결과가 큰 순서대로 글자를 쓰시오.

$5+5+4$
$=\boxed{}$
친

$9-3-2$
$=\boxed{}$
내

$7+5$
$=\boxed{}$
하

$4+6$
$=\boxed{}$
게

$2+1+4$
$=\boxed{}$
지

$10-8$
$=\boxed{}$
자

!

Tip

• 세 수의 덧셈 $5+5+4$는 두 수 5와 5를 더해서 만든 **❶**$\boxed{}$에 나머지 한 수 4를 더합니다.

• 세 수의 뺄셈 $9-3-2$는 앞의 두 수의 뺄셈 $9-3=$**❷**$\boxed{}$에서 나머지 한 수 2를 뺍니다.

[답] ❶ 10 ❷ 6

[관련 단원] 시계 보기와 규칙 찾기

5 규칙에 따라 풍선을 터뜨리고 있습니다. 1부터 50까지의 수가 써 있는 풍선 중 터뜨려야 할 풍선은 모두 몇 개인지 알아보시오.

❶ 터뜨린 풍선에 있는 수를 생각해 보고 규칙을 완성하시오.

> 낱개의 수가 3, 6, ☐ 인 수가 써 있는 풍선을 터뜨리는 규칙입니다.

❷ 31부터 50까지의 수 중 터뜨려야 할 풍선에 써 있는 수를 모두 쓰시오.

( )

❸ 1부터 50까지의 수가 써 있는 풍선 중 터뜨려야 할 풍선은 모두 몇 개입니까?

( )

Tip

주어진 풍선 중 터뜨린 풍선에 써 있는 수를 작은 수부터 차례로 쓰면
3, 6, 9, 13, 16, 19, ❶☐ , ❷☐ , ❸☐ 입니다.

[답] ❶ 23 ❷ 26 ❸ 29

▶정답 및 풀이 27쪽

[관련 단원] 덧셈과 뺄셈(3)

6 〈보기〉와 같이 두 수를 넣으면 상자의 규칙에 따라 새로운 수가 나오는 요술 상자가 있습니다. 두 수를 넣으면 어떤 수가 나오는지 빈 곳에 알맞은 수를 써넣으시오.

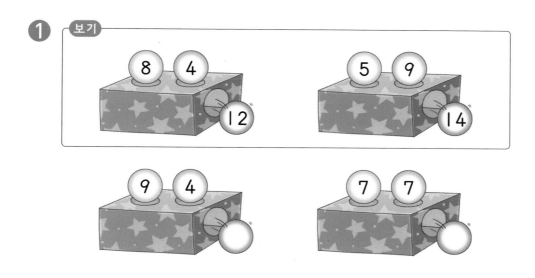

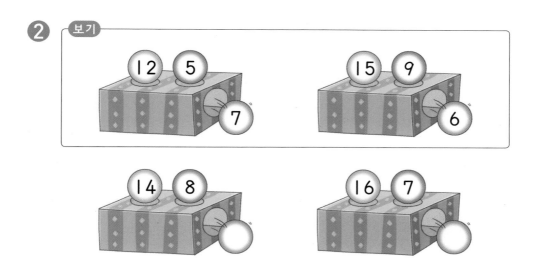

Tip --
❶ 8+4=12, 5+9=[❶   ]이므로 상자에 넣은 두 수의 [❷   ]이 나오는 규칙입니다.

❷ 12−5=7, 15−9=[❸]이므로 상자에 넣은 두 수의 [❹   ]가 나오는 규칙입니다.

[답] ❶ 14 ❷ 합 ❸ 6 ❹ 차

01 관계있는 것끼리 알맞게 이어 보시오.

60 ·   · 일흔

70 ·   · 여든

80 ·   · 예순

02 ☐ 안에 알맞은 수를 써넣으시오.

10개씩 묶음	낱개
6	4

→ ☐

03 10원짜리 동전이 9개 있습니다. 모두 얼마입니까?

(   )

[04~05] 그림을 보고 ☐ 안에 알맞은 수를 써넣으시오.

04

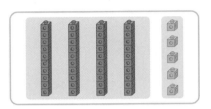

40 + 5 = ☐

10개씩 묶음 4개와 낱개 5개를 더하는 그림이에요.

05

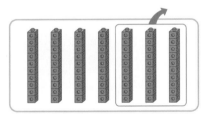

70 - 30 = ☐

10개씩 묶음 7개에서 10개씩 묶음 3개를 덜어 내는 그림이에요.

06 ☐ 안에 알맞은 수를 써넣으시오.

(1) 93보다 1만큼 더 큰 수는 ☐ 입니다.

(2) 67보다 1만큼 더 작은 수는 ☐ 입니다.

(3) 75와 78 사이의 수는 ☐, ☐ 입니다.

07 빈 곳에 알맞은 수를 써넣으세요.

(1) 72 – 73 – ☐ – 75 – ☐

(2) 87 – ☐ – 89 – ☐ – ☐

08 ◯ 안에 >, <를 알맞게 써넣으시오.

(1) 75 ◯ 68

(2) 82 ◯ 89

09 계산을 하시오.

(1)
$$\begin{array}{r} 2\ 3 \\ +\ 1\ 4 \\ \hline \end{array}$$

(2)
$$\begin{array}{r} 6\ 8 \\ -\ 3\ 2 \\ \hline \end{array}$$

낱개는 낱개끼리, 10개씩 묶음은 10개씩 묶음끼리 계산해요.

10 구슬은 모두 몇 개입니까?

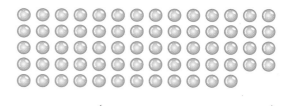

(   )

구슬을 10개씩 묶어서 세어 보세요.

11 가장 큰 수에 ○표, 가장 작은 수에 △표 하시오.

| 70 | 82 | 66 |

12 빈칸에 알맞은 수를 써넣으시오.

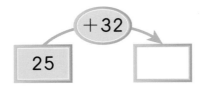

13 계산 결과의 크기를 비교하여 ○ 안에 >, =, <를 알맞게 써넣으시오.

$30+20 \bigcirc 59-15$

14 짝수를 모두 찾아 색칠해 보시오.

짝수는 둘씩 짝을 지을 수 있는 수예요.

15 다음을 읽고 줄넘기를 더 많이 한 친구는 누구인지 쓰시오.

나는 줄넘기를 팔십오 번 했어.

나는 줄넘기를 여든여덟 번 했어.

서연   준우

(   )

16 계산 결과가 같은 것끼리 선으로 이어 보시오.

40+10 ·		· 20+30
40+40 ·		· 20+50
30+40 ·		· 60+20

17 달걀 한 판에는 달걀이 30개씩 들어 있습니다. 달걀 2판에 들어 있는 달걀은 모두 몇 개입니까?

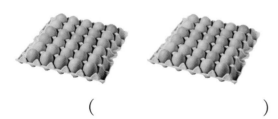

(   )

18 붙임딱지를 미주는 47장 모았고 윤재는 15장 모았습니다. 미주는 윤재보다 붙임딱지를 몇 장 더 많이 모았는지 식을 쓰고 답을 구하시오.

식 _____

답 _____

19 가장 큰 수와 가장 작은 수의 차를 구하시오.

(   )

20 같은 모양에 적힌 수의 합을 구하시오.

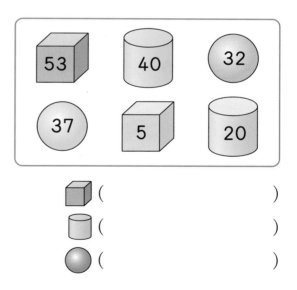

  (   )
  (   )
  (   )

01 세 수의 덧셈을 하시오.

(1) $4+3+2=\boxed{}$

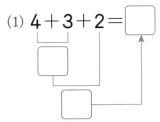

(2) $1+5+3=\boxed{}$

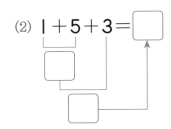

02 세 수의 뺄셈을 하시오.

(1) $8-2-3=\boxed{}$

(2) $9-5-2=\boxed{}$

03 그림을 보고 ☐ 안에 알맞은 수를 써 넣으시오.

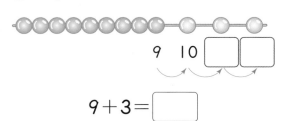

$9+3=\boxed{}$

04 10을 이용하여 모으기와 가르기를 하시오.

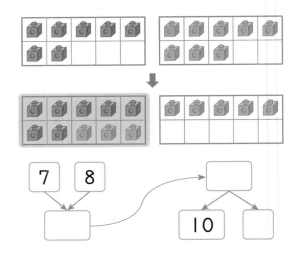

05 합이 10이 되도록 ☐ 안에 알맞은 수를 써넣으시오.

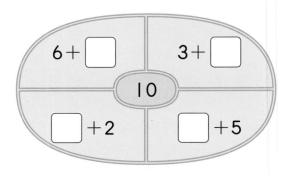

06 빈칸에 알맞은 수를 써넣으시오.

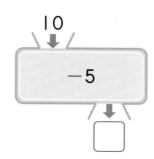

07 덧셈을 하시오.

(1) $6+9=$ ☐

      ☐   5

앞의 수를 10 만들어 계산하거나 뒤의 수를 10 만들어 계산해요.

(2) $7+7=$ ☐

  4   ☐

08 뺄셈을 하시오.

(1) $16-8=$ ☐

     6 ☐

앞의 수가 10이 되도록 뺀 후 계산하거나 10에서 뒤의 수를 한 번에 뺀 후 계산해요.

(2) $13-4=$ ☐

    10 ☐

09 보기 와 같은 방법으로 계산하시오.

보기
$$6+5+5=16$$
10
16

$$8+7+3$$

10 합이 같은 것끼리 선으로 이어 보시오.

$3+6+4$ $8+2+6$ $1+9+4$
  ·   ·   ·

  ·   ·   ·
$10+4$ $3+10$ $10+6$

세 수의 덧셈에서 합이 10이 되는 두 수를 묶어 보세요.

11 합이 같은 것끼리 선으로 이으시오.

4+9 ·

· 8+7

7+8 ·

· 9+4

12 합이 10이 되는 두 수를 ◯로 묶은 뒤 세 수의 합을 구하시오.

(1)

```
  7   4
    3
```
➡ ☐

(2)
```
  5   5
    3
```
➡ ☐

13 계산 결과를 찾아 선으로 이어 보시오.

8+3 ·

· 18

5+7 ·

· 12

9+9 ·

· 11

14 덧셈을 하시오.

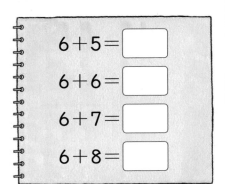

6+5=☐

6+6=☐

6+7=☐

6+8=☐

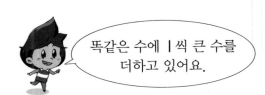

똑같은 수에 1씩 큰 수를 더하고 있어요.

15 차가 5인 뺄셈식을 모두 찾아 ◯표 하시오.

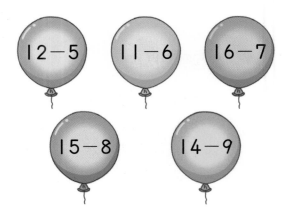

12−5   11−6   16−7

15−8   14−9

16 ⬛ 모양 물건이 2개, ⬤ 모양 물건이 8개, ⚫ 모양 물건이 5개 있습니다. ⬛, ⬤, ⚫ 모양 물건은 모두 몇 개입니까?

(   )

17 모자가 13개, 목도리가 5개 있습니다. 모자는 목도리보다 몇 개 더 많습니까?

(   )

18 나래는 문제집을 아침에 7쪽, 저녁에 8쪽 풀었습니다. 나래가 아침과 저녁에 푼 문제집은 모두 몇 쪽인지 식을 쓰고 답을 구하시오.

식 _____

답 _____

19 ☐ 안에 알맞은 수를 써넣으세요.

11−6	11−7	11−8	11−9
5	4	3	2
	12−7	12−8	12−9
	☐	4	3
		13−8	13−9
		☐	4
			14−9
			☐

여러 가지 규칙을 찾아보세요.

20 옆으로 덧셈식이 되는 세 수를 찾아 ☐+☐=☐ 표 하시오. (덧셈식을 3개 더 찾아보시오.)

5 + 2 = 7			6	10
3	8	5	13	12
6	9	15	4	2
7	1	9	9	18

01 ▢ 모양 물건을 찾아 ◯표 하시오.

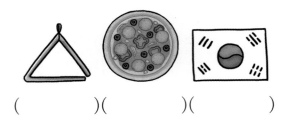

(   )(   )(   )

02 ▲ 모양을 모두 찾아 색칠하시오.

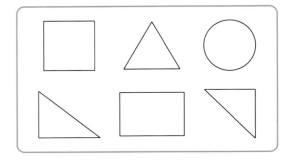

03 어떤 모양의 물건을 모아 놓은 것인 지 찾아 ◯표 하시오.

(▢ , ▲ , ◯)

04 설명하는 모양을 찾아 선으로 이어 보시오.

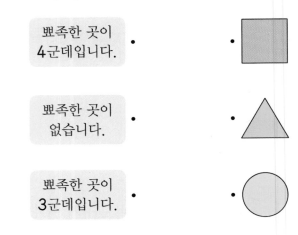

뾰족한 곳이 4군데입니다. •

뾰족한 곳이 없습니다. •

뾰족한 곳이 3군데입니다. •

05 시계가 나타내는 시각을 쓰시오.

(1)

☐ 시

(2)

☐ 시 ☐ 분

[06~07] 이야기에 나오는 시각을 시계에 나타내어 보시오.

06

5시에 숙제를 했습니다.

07

7시 30분에 만들기를 했습니다.

08 규칙에 따라 빈칸에 알맞은 것을 찾아 ○표 하시오.

(🍎 , 🍊)

09 본뜬 모양을 찾아 알맞게 이어 보시오.

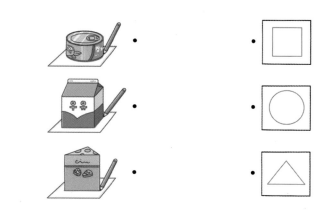

10 같은 시각끼리 선으로 이어 보시오.

11:30

12:30

짧은바늘이 12와 1 사이를 가리키면 몇 시로 읽어야 할까요?

11 규칙에 따라 빈칸에 알맞은 수를 써넣으시오.

■	▲	▲	■	▲	▲	■
4	3	3	4			

12 다음 중 ⬤ 모양은 모두 몇 개입니까?

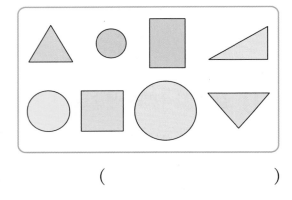

( )

13 규칙에 따라 빈칸에 알맞은 수를 써넣으시오.

(1) 12 14 16 18 [ ]

(2) 30 25 20 [ ] 10

14 다음 중 모양이 나머지와 <u>다른</u> 하나는 어느 것입니까? ·········· ( )

①

②

③

④

⑤

15 규칙에 따라 빈칸에 알맞은 색을 칠하시오.

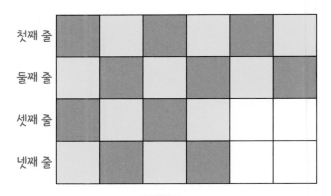

첫째 줄은 빨간색과 노란색이 반복돼요.

16 오른쪽은 어떤 모양의 일부분입니다. 이 모양의 물건을 찾아 ○표 하시오.

(   )(   )(   )

17 서연이가 말하는 시각을 쓰시오.

짧은바늘이 10과 11 사이, 긴바늘이 6을 가리키고 있어요.

서연

(   )

18 다음 물건의 아랫부분에 물감을 묻혀 찍었을 때 나오는 모양을 찾아 ○표 하시오.

(▢ , △ , ●)

19 다음과 같이 꾸미는 데 ▢ 모양을 몇 개 이용하였는지 세어 보시오.

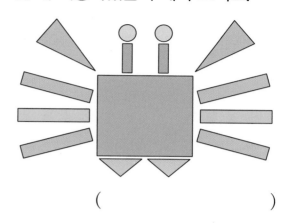

(   )

20 규칙에 따라 빈칸에 알맞은 수를 써넣고, 바르게 말한 동물을 찾아 쓰시오.

31	32	33	34	35	36	37	38	39	40
41	42	43	44	45	46	47	48	49	50
51	52	53	54	55	56	57	58	59	60
61	62	63	64						

- - - 에 있는 수에는 1씩 커지는 규칙이 있어.

거북

- - - 에 있는 수에는 11씩 커지는 규칙이 있어.

토끼

(   )

초등생의 필수 학습! 탄탄하게 다져두자!

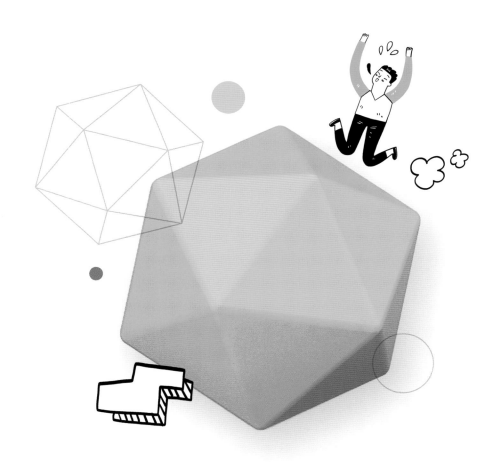

수학
전략

초등 **수학**

천재교육

초등생의 필수 학습!
탄탄하게 다져두자!

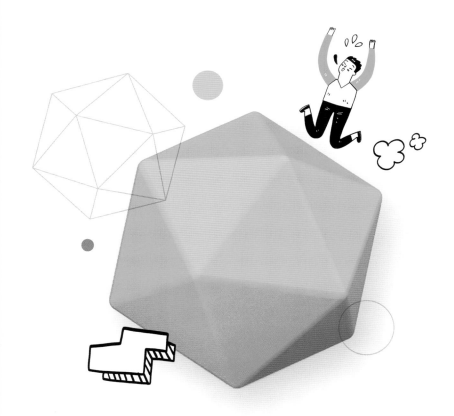

수학
전략

초등 **수학**

1·2

핵심개념&연산 집중연습

천재교육

1·2

목차

100까지의 수 ·················· 2쪽

덧셈과 뺄셈(1) ·················· 10쪽

여러 가지 모양 ·················· 18쪽

덧셈과 뺄셈(2) ·················· 24쪽

시계 보기와 규칙 찾기 ·········· 32쪽

덧셈과 뺄셈(3) ·················· 40쪽

정답 ·················· 46쪽

1 몇십 알아보기

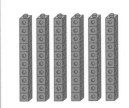 10개씩 묶음 6개를 60이라고 합니다.

60

육십

예순

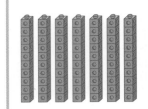 10개씩 묶음 7개를 70이라고 합니다.

70

❶

일흔

 10개씩 묶음 8개를 80이라고 합니다.

80

팔십

❷

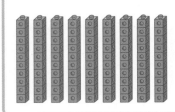 10개씩 묶음 9개를 90이라고 합니다.

90

구십

아흔

[답] ❶ 칠십 ❷ 여든

핵심 체크

1 10개씩 묶음 6개는 (60 , 70)입니다.

2 90을 읽으면 (일흔 , 아흔)입니다.

90은
구십으로도 읽어요.

2 99까지의 수 알아보기

● 10개씩 묶음 5개와 낱개 3개

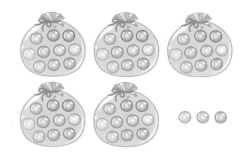

➡ **❶** 이라고 쓰고

오십삼 또는 쉰셋이라고 읽습니다.

● 10개씩 묶음 6개와 낱개 8개

➡ 68이라고 쓰고

육십팔 또는 **❷** 이라고

읽습니다.

[답] ❶ 53 ❷ 예순여덟

핵심체크

1   10개씩 묶음이 5개, 낱개가 9개인 수는 (59 , 95)입니다.

2   73을 읽으면 (일흔삼 , 일흔셋)입니다.

73은
칠십삼으로도 읽어요.

3 수의 순서 알아보기

◦ 수의 순서 알아보기

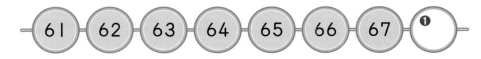

64보다 1만큼 더 작은 수는 63입니다.

64보다 1만큼 더 큰 수는 65입니다.

67보다 1만큼 더 큰 수는 [① ____]입니다.

99 다음의 수는 무엇일까요?

◦ 100 알아보기

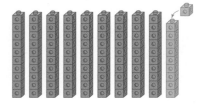

99보다 1만큼 더 큰 수를 [② ____]이라고 합니다.

100은 백이라고 읽습니다.

[답] ① 68 ② 100

핵심체크

1 75보다 1만큼 더 큰 수는 (74 , 76)입니다.

2 90보다 1만큼 더 작은 수는 (89 , 91)입니다.

3 100은 99보다 1만큼 더 (큰 , 작은) 수입니다.

100은 백이라고 읽어요.

4 두 수의 크기 비교하기 (1)

● 54와 73의 크기 비교하기

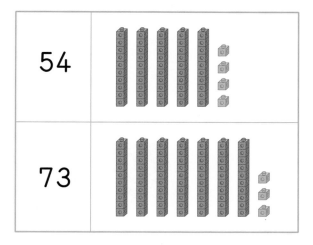

10개씩 묶음의 수가 큰 수가 더 커요.

54는 10개씩 묶음이 [❶   ]개이고, 73은 10개씩 묶음이 [❷   ]개입니다.

10개씩 묶음의 수를 비교하면 5 < 7이므로 54는 73보다 작습니다.

54는 73보다 작습니다. ➡ 54 ❸( ) 73

73은 54보다 큽니다. ➡ 73 ❹( ) 54

[답] ❶ 5 ❷ 7 ❸ < ❹ >

핵심 체크

1   70은 83보다 (큽니다 , 작습니다).

2   65는 56보다 (큽니다 , 작습니다).

클까요, 작을까요?

5 두 수의 크기 비교하기(2)

62와 67의 크기 비교하기

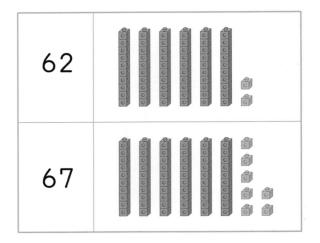

| 62 | |
| 67 | |

말풍선: 10개씩 묶음의 수가 같으니까 낱개의 수를 비교해요.

62와 67은 10개씩 묶음이 [❶] 개로 같습니다.

62는 낱개가 2개이고, 67은 낱개가 [❷] 개이므로 62는 67보다 작습니다.

62는 67보다 작습니다. ➡ 62 ❸( ) 67

67은 62보다 큽니다. ➡ 67 ❹( ) 62

[답] ❶ 6 ❷ 7 ❸ < ❹ >

핵심체크

1 70은 76보다 (큽니다 , 작습니다).

말풍선: 93과 98은 10개씩 묶음의 수가 같아요.

2 93은 98보다 (큽니다 , 작습니다).

6 짝수, 홀수

○ 짝수: 둘씩 짝을 지을 수 있는 수

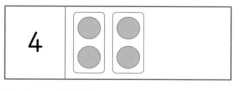

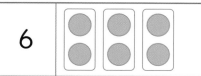

둘씩 짝을 짓고 남는 것이 ❶[　　] 습니다.

짝수는 수가
2, 4, 6, 8, 0으로 끝나요.

○ 홀수: 둘씩 짝을 지을 수 없는 수

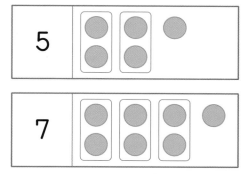

둘씩 짝을 짓고 남는 것이 ❷[　　] 습니다.

홀수는 수가
1, 3, 5, 7, 9로 끝나요.

[답] ❶ 없 ❷ 있

핵심체크

1 3은 (짝수 , 홀수)입니다.

둘씩 짝을
지을 수 있는지
알아보아요.

2 8은 (짝수 , 홀수)입니다.

집중 연습

[01~04] 수를 두 가지 방법으로 읽으시오.

01 54 ➡ (,   )

02 66 ➡ (,   )

03 72 ➡ (,   )

04 90 ➡ (,   )

[05~08] 수로 나타내시오.

05 오십육 ➡ (   )

06 칠십삼 ➡ (   )

07 예순둘 ➡ (   )

08 여든아홉 ➡ (   )

[09~16] 두 수의 크기를 비교하여 ◯ 안에 >, <를 알맞게 써넣으시오.

09 79 ◯ 52

10 55 ◯ 63

11 61 ◯ 84

12 93 ◯ 58

13 58 ◯ 59

14 96 ◯ 90

15 73 ◯ 77

16 64 ◯ 67

7 덧셈하기(1)

● 받아올림이 없는 (몇십몇)＋(몇)

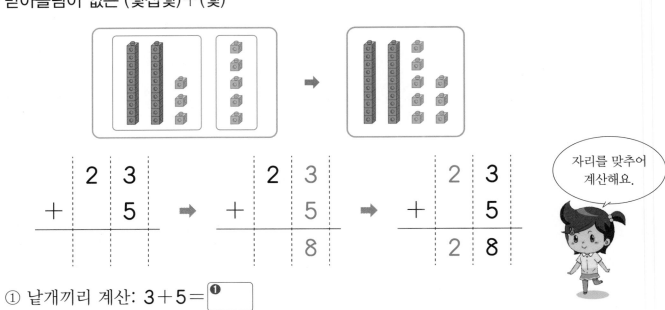

자리를 맞추어 계산해요.

① 낱개끼리 계산: 3＋5＝❶ ▢

② 10개씩 묶음의 수인 ❷ ▢ 를 그대로 내려 씁니다.

[답] ❶ 8 ❷ 2

핵심체크

1 21＋4의 계산에서 낱개끼리 더하면 (1＋4＝5 , 2＋4＝6)이고,
10개씩 묶음의 수를 그대로 쓰면 2입니다.
➡ 21＋4＝(25 , 26)

2 45＋2의 계산에서 낱개끼리 더하면 (2＋4＝6 , 5＋2＝7)이고,
10개씩 묶음의 수를 그대로 쓰면 4입니다.
➡ 45＋2＝(46 , 47)

8 덧셈하기(2)

○ 받아올림이 없는 (몇십)＋(몇십)

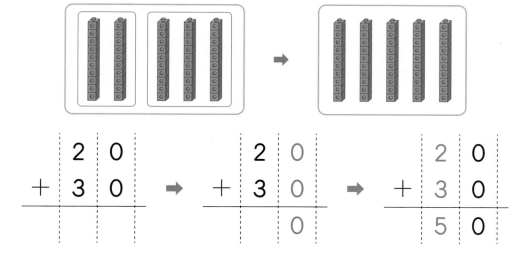

① 낱개의 자리에 **❶**⬚ 을 씁니다.

② 10개씩 묶음끼리 계산: 2＋3=**❷**⬚

[답] **❶** 0 **❷** 5

핵심체크

1 30＋10의 계산에서 낱개의 자리에 0을 쓰고
10개씩 묶음의 수끼리 더하면 3＋1=(4 , 5)입니다.
➡ 30＋10=(40 , 50)

2 50＋20의 계산에서 낱개의 자리에 0을 쓰고
10개씩 묶음의 수끼리 더하면 5＋2=(7 , 8)입니다.
➡ 50＋20=(70 , 80)

10개씩 묶음이
7개예요.

9 덧셈하기 (3)

○ 받아올림이 없는 (몇십몇)＋(몇십몇)

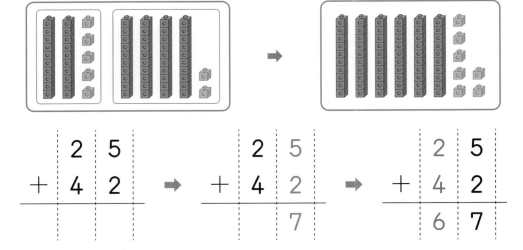

① 낱개끼리 계산: $5+2=$ **❶** ☐

② 10개씩 묶음끼리 계산: $2+4=$ **❷** ☐

[답] **❶** 7 **❷** 6

핵심체크

1   35＋32의 계산에서 낱개끼리 더하면 (5＋2＝7 , 5＋3＝8)이고,
　　 10개씩 묶음끼리 더하면 3＋3＝6입니다.
　　➡ 35＋32＝(67 , 68)

2   15＋34의 계산에서 낱개끼리 더하면 (1＋3＝4 , 5＋4＝9)이고,
　　 10개씩 묶음끼리 더하면 1＋3＝4입니다.
　　➡ 15＋34＝(49 , 94)

세로로
계산해 보세요.

10 뺄셈하기(1)

◐ 받아내림이 없는 (몇십몇)−(몇)

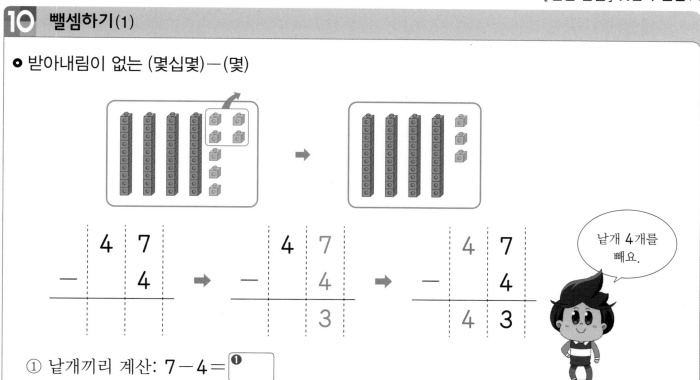

① 낱개끼리 계산: $7 - 4 = $ ❶

② 10개씩 묶음의 수인 ❷ 를 그대로 내려 씁니다.

[답] ❶ 3 ❷ 4

핵심 체크

1 36−4의 계산에서 낱개끼리 빼면 (6−4＝2 , 6−3＝3)이고,
10개씩 묶음의 수를 그대로 쓰면 3입니다.
➡ 36−4＝(32 , 33)

2 78−7의 계산에서 낱개끼리 빼면 (7−7＝0 , 8−7＝1)이고,
10개씩 묶음의 수를 그대로 쓰면 7입니다.
➡ 78−7＝(70 , 71)

11 뺄셈하기(2)

○ 받아내림이 없는 (몇십)─(몇십)

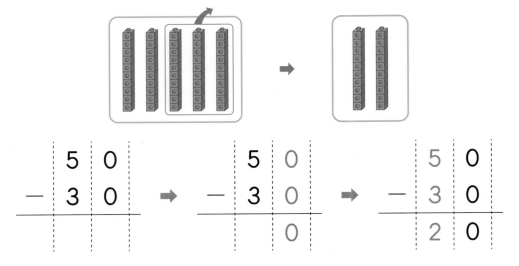

① 낱개의 자리에 [**①**] 을 씁니다.

② 10개씩 묶음끼리 계산: 5─3=[**②**]

[답] **①** 0 **②** 2

핵심체크

1 60─20의 계산에서 낱개의 자리에 (0 , 6)을 쓰고
10개씩 묶음끼리 빼면 6─2=4입니다.
➡ 60─20=(20 , 40)

2 80─30의 계산에서 낱개의 자리에 (0 , 8)을 쓰고
10개씩 묶음끼리 빼면 8─3=5입니다.
➡ 80─30=(30 , 50)

세로로
계산해 보세요.

12 뺄셈하기(3)

● 받아내림이 없는 (몇십몇)−(몇십몇)

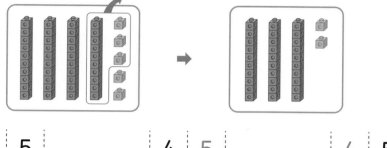

말개는 낱개끼리!
10개씩 묶음은
10개씩 묶음끼리!

① 낱개끼리 계산: 5−3=❶ ☐

② 10개씩 묶음끼리 계산: 4−1=❷ ☐

[답] ❶ 2 ❷ 3

핵심체크

1 59−23의 계산에서 낱개끼리 빼면 (9−2=7 , 9−3=6)이고,
   10개씩 묶음끼리 빼면 5−2=3입니다.
   ➡ 59−23=(37 , 36)

2 88−24의 계산에서 낱개끼리 빼면 (8−4=4 , 8−2=6)이고,
   10개씩 묶음끼리 빼면 8−2=6입니다.
   ➡ 88−24=(64 , 66)

집중 연습

[01~08] 덧셈을 하시오.

01
```
    3 5
 +    4
```

02
```
    5 0
 +  2 0
```

03
```
    2 1
 +  1 6
```

04
```
    4 6
 +  5 3
```

05 80+9

06 20+40

07 33+21

08 43+13

[09~16] 뺄셈을 하시오.

09
$$\begin{array}{r} 7\ 4 \\ -\ \ \ 4 \\ \hline \end{array}$$

10
$$\begin{array}{r} 9\ 0 \\ -\ 3\ 0 \\ \hline \end{array}$$

11
$$\begin{array}{r} 6\ 5 \\ -\ 4\ 3 \\ \hline \end{array}$$

12
$$\begin{array}{r} 9\ 8 \\ -\ 3\ 5 \\ \hline \end{array}$$

13 $58 - 4$

14 $40 - 10$

15 $54 - 20$

16 $71 - 31$

13 ⬜ 모양 알아보기

○ ⬜ 모양 찾아보기

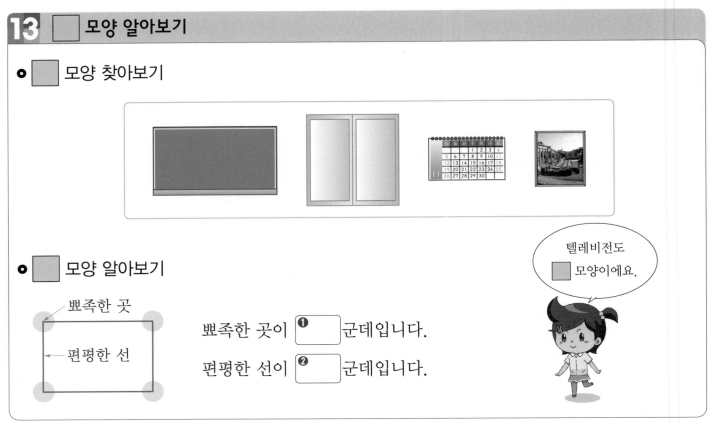

○ ⬜ 모양 알아보기

뾰족한 곳

← 편평한 선

뾰족한 곳이 [❶] 군데입니다.

편평한 선이 [❷] 군데입니다.

텔레비전도 ⬜ 모양이에요.

[답] ❶ 4 ❷ 4

핵심체크

1 공책 은 (⬜ , △ , ◯) 모양입니다.

2 ⬜ 모양은 뾰족한 곳이 (3 , 4)군데입니다.

⬜ 모양을 따라 그려 보세요.

3 ⬜ 모양은 편평한 선이 (3 , 4)군데입니다.

14 △ 모양 알아보기

○ △ 모양 찾아보기

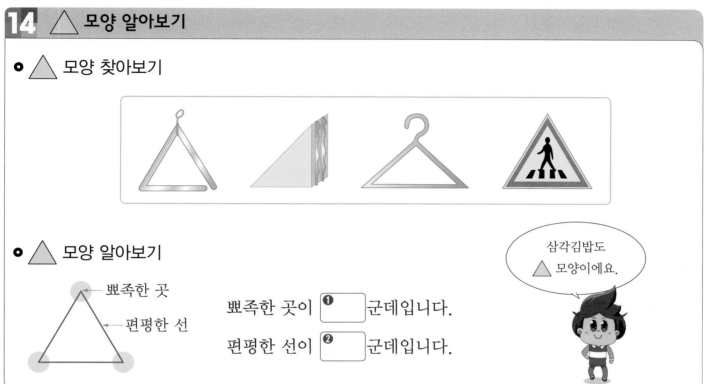

○ △ 모양 알아보기

뾰족한 곳
편평한 선

뾰족한 곳이 **❶** 군데입니다.

편평한 선이 **❷** 군데입니다.

삼각김밥도 △ 모양이에요.

[답] ❶ 3 ❷ 3

핵심체크

1  은 (■ , △ , ○) 모양입니다.

2 △ 모양은 뾰족한 곳이 (3 , 4)군데입니다.

△ 모양을 따라 그려 보세요.

3 △ 모양은 편평한 선이 (3 , 4)군데입니다.

15 ⬤ 모양 알아보기

○ ⬤ 모양 찾아보기

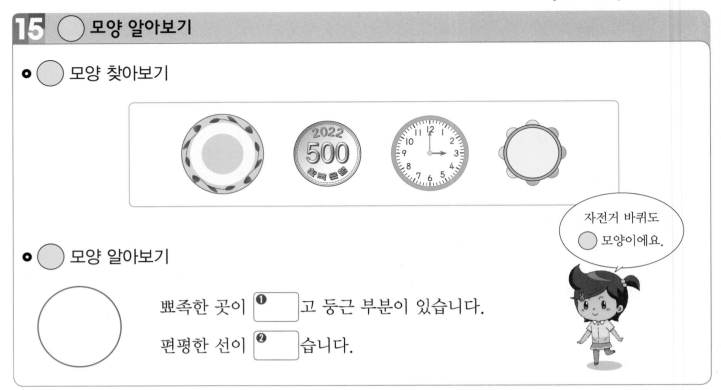

자전거 바퀴도 ⬤ 모양이에요.

○ ⬤ 모양 알아보기

뾰족한 곳이 ❶[   ]고 둥근 부분이 있습니다.

편평한 선이 ❷[   ]습니다.

[답] ❶ 없 ❷ 없

핵심체크

1 ⬤ 은 (◼ , ▲ , ⬤) 모양입니다.

2 ⬤ 모양은 뾰족한 곳이 있습니다. (○ , ×)

⬤ 모양을 따라 그려 보세요.

3 ⬤ 모양은 편평한 선이 없습니다. (○ , ×)

16 여러 가지 모양 꾸미기

○ ◻, △, ◯ 모양을 이용하여 모양 꾸미기

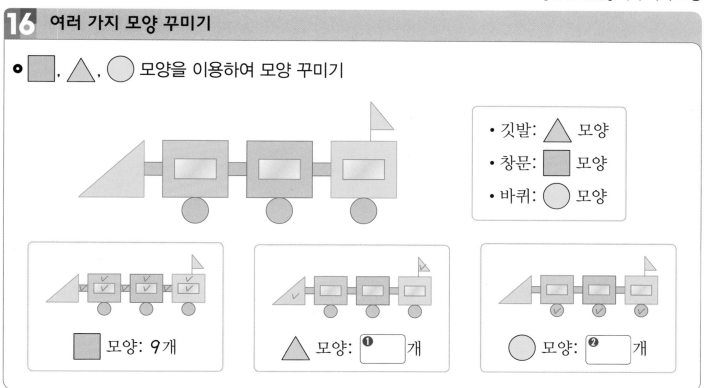

· 깃발: △ 모양
· 창문: ◻ 모양
· 바퀴: ◯ 모양

◻ 모양: 9개

△ 모양: ❶ ▢ 개

◯ 모양: ❷ ▢ 개

[답] ❶ 2 ❷ 3

핵심체크

[1~3] ◻, △, ◯ 모양을 이용하여 꾸민 아이스크림입니다.

1 ◻ 모양은 (1 , 3 , 4)개를 이용하였습니다.

2 △ 모양은 (1 , 3 , 4)개를 이용하였습니다.

3 ◯ 모양은 (1 , 3 , 4)개를 이용하였습니다.

같은 모양끼리
✓ 표시를 하면서
세어 보세요.

집중 연습

[01~08] ▧ 모양에 □표, ▲ 모양에 △표, ⬤ 모양에 ○표 하시오.

01

( )

05

( )

02

( )

06

( )

03

( )

07

( )

04

( )

08

( )

[09~12] 설명에 알맞은 모양을 찾아 ◯표 하시오.

09

뾰족한 곳이 없습니다.

(■ , ▲ , ●)

10

편평한 선이 4군데입니다.

(■ , ▲ , ●)

11

둥근 부분만 있습니다.

(■ , ▲ , ●)

12

뾰족한 곳이 3군데입니다.

(■ , ▲ , ●)

[13~15] 물건을 종이 위에 본을 떴을 때 나오는 모양을 찾아 ◯표 하시오.

13

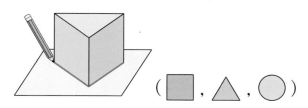

(■ , ▲ , ●)

14

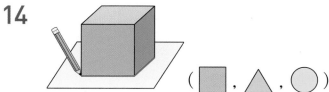

(■ , ▲ , ●)

15

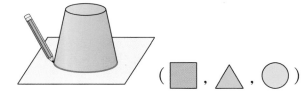

(■ , ▲ , ●)

신나는 수학 공부!

17 세 수의 덧셈하기

● 3+2+1의 계산

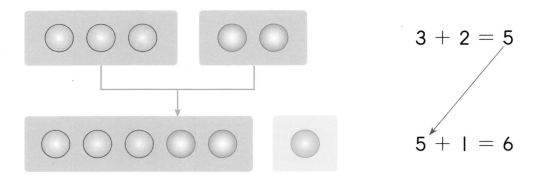

$$3 + 2 = 5$$

$$5 + 1 = 6$$

앞의 두 수를 먼저 더한 뒤, 남은 수를 더합니다.

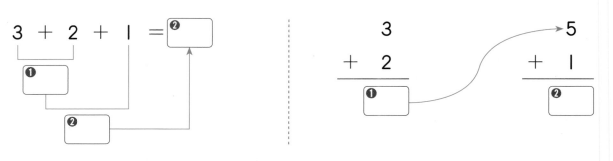

[답] ❶ 5 ❷ 6

핵심체크

1 4+3+2의 계산에서 4+3=(7 , 9)이므로 4+3+2=(7 , 9)입니다.

2 2+4+2=(7 , 8)입니다.

앞에서부터
두 수씩
차례로 계산해요.

18 세 수의 뺄셈하기

○ 6－2－3의 계산

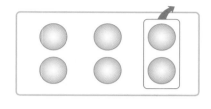

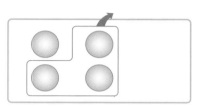

$$6 - 2 = 4$$

$$4 - 3 = 1$$

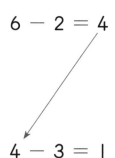

구슬이 몇 개 남았을까요?

앞의 두 수를 먼저 계산한 뒤, 남은 수를 뺍니다.

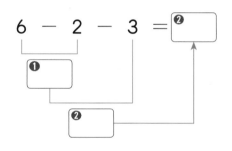

6 － 2 － 3 ＝ ❷

❶

❷

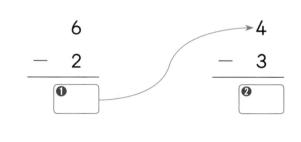

6
－ 2
❶

4
－ 3
❷

[답] ❶ 4 ❷ 1

핵심 체크

1 8－4－2의 계산에서 8－4＝(4 , 6)이므로 8－4－2＝(2 , 4)입니다.

9에서 5를 뺀 다음 2를 더 빼요.

2 9－5－2＝(1 , 2)입니다.

19 두 수를 더하기

○ 이어 세기로 두 수 더하기

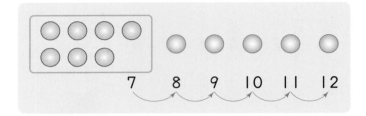

7에서부터 5만큼 이어 세어요.

$$7+5= \boxed{❶ }$$

○ 두 수를 바꾸어 더하기

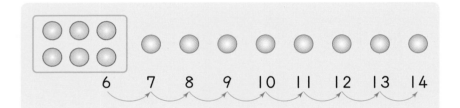

$$6+8= \boxed{❷ }$$

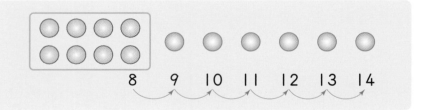

$$8+6= \boxed{❸ }$$

두 수를 바꾸어 더해도 결과는 같습니다.

[답] ❶ 12 ❷ 14 ❸ 14

핵심 체크

1 　9+3은 9에서부터 (3 , 4)만큼 이어 세어 보면 9+3=(12 , 13)입니다.

2 　8+5=(13 , 16)이고 5+8=(13 , 16)입니다.

　➡ 두 수를 바꾸어 더해도 결과는 (같습니다 , 다릅니다).

20 10이 되는 더하기

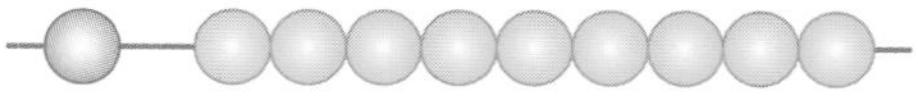

1+9=10

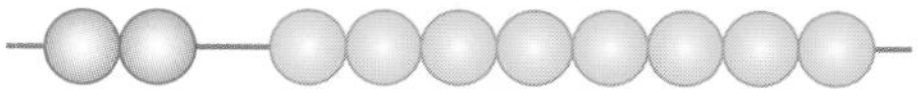

2+8=10

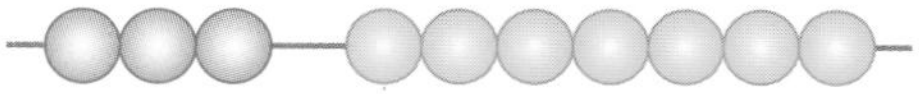

3+7=❶[ ]

4+6=10

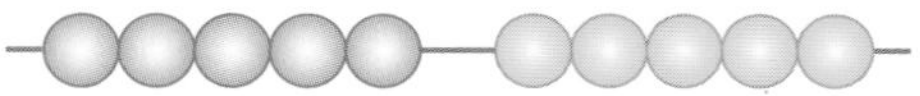

5+5=10

6+4=10

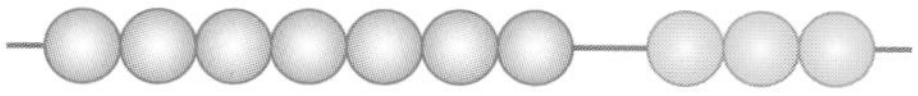

7+3=10

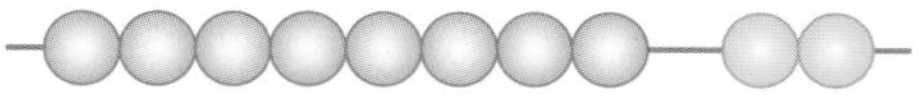

8+2=10

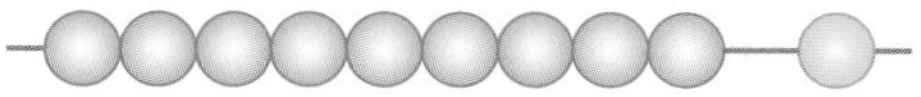

9+1=❷[ ]

넌 최고야!

[답] ❶ 10 ❷ 10

핵심 체크

1 3+7은 (10 , 11)입니다.

2 10이 되는 덧셈식은 (5+4 , 8+2)입니다.

더해서 10이 되는 두 수를 알아보아요.

21 10에서 빼기

$10-1=9$

$10-2=8$

$10-3=$ ❶

$10-4=6$

$10-5=5$

$10-6=4$

$10-7=3$

$10-8=2$

$10-9=$ ❷

항상 널 응원해!

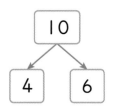

[답] ❶ 7 ❷ 1

핵심체크

1 10은 4와 (3 , 6)으로 가르기 할 수 있습니다.
따라서 $10-4=$ (3 , 6)입니다.

2 $10-8=$ (2 , 3)입니다.

22 | 10을 만들어 더하기

● 앞의 두 수로 10을 만들어 세 수를 더하기

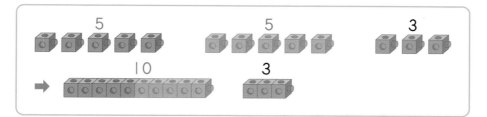

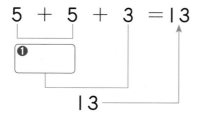

앞의 두 수의 합이 10이에요.

$$5 + 5 + 3 = 13$$

❶

13

● 뒤의 두 수로 10을 만들어 세 수를 더하기

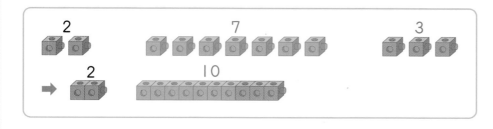

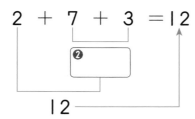

뒤의 두 수의 합이 10이에요.

$$2 + 7 + 3 = 12$$

❷

12

[답] ❶ 10 ❷ 10

핵심체크

1 8+2+4의 계산에서 (8과 2 , 2와 4)의 합이 10이 되므로
8+2+4=(12 , 14)입니다.

2 7+9+1의 계산에서 (7과 9 , 9와 1)의 합이 10이 되므로
7+9+1=(17 , 19)입니다.

집중 연습

[01~16] 계산을 하시오.

01 $5+3+1=$ ☐

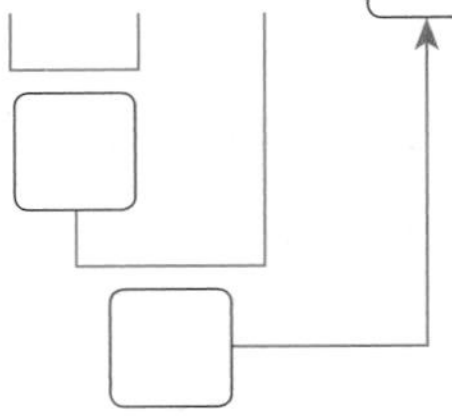

02 $2+5+2=$ ☐

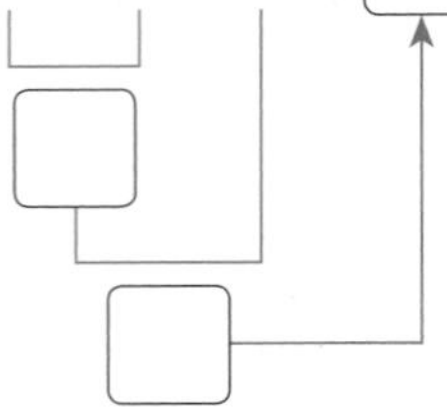

03 $8-3-2=$ ☐

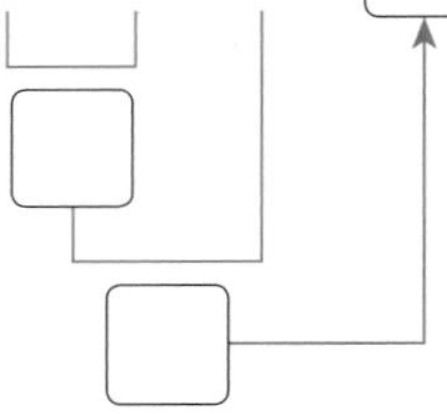

04 $5-3-1=$ ☐

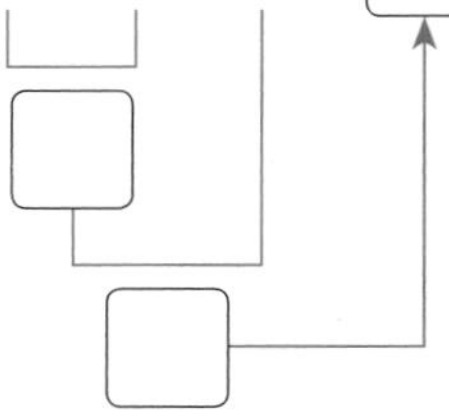

05 $2+3+4$

06 $3+3+1$

07 $9-6-1$

08 $6-1-2$

09 $6+4=\boxed{}$

10 $2+8=\boxed{}$

11 $10-3=\boxed{}$

12 $10-5=\boxed{}$

13 $8+2+2=\boxed{}$

14 $4+6+2=\boxed{}$

15 $8+9+1=\boxed{}$

16 $7+5+5=\boxed{}$

23 몇 시 알아보기

● 몇 시 알아보기

긴바늘이 12를 가리킬 때 '몇 시'를 나타냅니다.

➡ 짧은바늘이 10, 긴바늘이 12를 가리키므로

❶ [   ]시입니다.

'몇 시'는
긴바늘이 12를
가리켜요.

● 시계에 3시를 나타내기

① 짧은바늘이 3을 가리키도록 그립니다.

② 긴바늘이 ❷ [   ]를 가리키도록 그립니다.

[답] ❶ 10 ❷ 12

핵심체크

1

짧은바늘이 1, 긴바늘이 12를 가리키므로
시계가 나타내는 시각은 1시입니다. (○ , ×)

2   시계에 5시를 나타낼 때 긴바늘은 5를 가리키도록 그립니다. (○ , ×)

24 몇 시 30분 알아보기

o 몇 시 30분 알아보기

긴바늘이 6을 가리킬 때 '몇 시 30분'을 나타냅니다.

➡ 짧은바늘이 9와 10 사이, 긴바늘이 6을 가리키므로

❶ 시 30분입니다.

'몇 시 30분'은
긴바늘이 6을
가리켜요.

o 시계에 4시 30분을 나타내기

① 짧은바늘이 4와 5 사이를 가리키도록 그립니다.

② 긴바늘이 **❷** 을 가리키도록 그립니다.

[답] ❶ 9 ❷ 6

핵심체크

1

짧은바늘이 7과 8 사이, 긴바늘이 6을 가리키므로
시계가 나타내는 시각은 7시 30분입니다. (○ , ×)

2 시계에 11시 30분을 나타낼 때 긴바늘은 6을 가리키도록 그립니다. (○ , ×)

25 규칙을 찾아 말해 보기

①

규칙 큰 모양과 **❶**[　　　] 모양이 반복됩니다.

어떤 규칙이 있을까요?

②

규칙 ⬤ , ▲ , **❷**[　　] 가 반복됩니다.

③

규칙 노란색과 파란색이 반복됩니다.

[답] **❶** 작은 **❷**

핵심체크

1

➡ , , 이 반복되는 규칙입니다. (○ , ×)

반복되는 부분을 ⬭로 묶어 봐요.

2 ⬆ ⬇ ⬆ ⬇ ⬆ [　] ⬆ ⬇ ⬆ ⬇

➡ 빈칸에 알맞은 그림은 (⬆ , ⬇)입니다.

26 규칙을 찾아 여러 가지 방법으로 나타내기

● 규칙을 찾아 ◯와 △로 나타내기

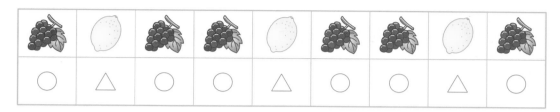

• 포도, 레몬, 포도가 반복되는 규칙입니다.

• 포도를 ◯, 레몬을 [❶____]로 나타내었습니다.

● 규칙을 찾아 수로 나타내기

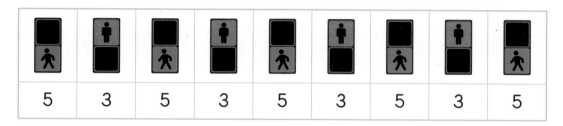

• 초록 신호등과 빨간 신호등이 반복되는 규칙입니다.

• 초록 신호등을 5, 빨간 신호등은 [❷____]으로 나타내었습니다.

[답] ❶ △   ❷ 3

핵심체크

[1~2] 규칙에 따라 수로 나타낸 것입니다.

✂	풀	✂	풀	✂	풀	✂	풀	✂	풀
2	1	2	1	2	1	2	1		1

1 가위는 1, 풀은 2로 나타내었습니다. (◯ , ×)

2 빈칸에 알맞은 수는 2입니다. (◯ , ×)

27 규칙에 따라 무늬 꾸미기

○ **규칙에 따라 색칠하여 무늬 꾸미기**

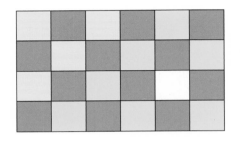

첫째 줄과 셋째 줄은 노란색과 빨간색이 반복됩니다.
둘째 줄과 넷째 줄은 빨간색과 노란색이 반복됩니다.

➡ 빈칸은 [**❶**]색으로 색칠해야 합니다.

○ **규칙에 따라 모양을 그려 무늬 꾸미기**

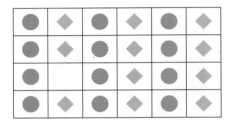

●와 ◆가 반복됩니다.

➡ 빈칸에 알맞은 모양은 [**❷**]입니다.

[답] ❶ 노란 ❷ ◆

핵심체크

[1~2] 규칙에 따라 무늬를 꾸민 것입니다.

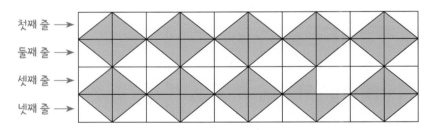

1 첫째 줄과 셋째 줄은 (◸와 ◹ , ◺와 ◹)가 반복됩니다.

2 빈칸에 알맞은 모양은 (◸ , ◹)입니다.

예쁜 무늬를 꾸몄어요.

28 수 배열에서 규칙 찾기, 수 배열표에서 규칙 찾기

⊙ 수 배열에서 규칙 찾기

①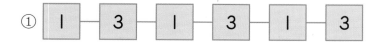

규칙 | 과 **❶**⬚ 이 반복됩니다.

②

규칙 10부터 시작하여 2씩 작아집니다.

⊙ 수 배열표에서 규칙 찾기

1	2	3	4	5	6	7	8	9	10
11	12	13	14	15	16	17	18	19	20
21	22	23	24	25	26	27	28	29	30
31	32	33	34	35	36	37	38	39	40

오른쪽으로
1칸 갈 때마다
1씩 커집니다.

아래쪽으로
1칸 갈 때마다
❷⬚ 씩 커집니다.

어떤 규칙이
있을까요?

[답] ❶ 3 ❷ 10

핵심 체크

1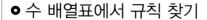

➡ 10부터 시작하여 10씩 (커집니다 , 작아집니다).
빈칸에 알맞은 수는 (40 , 60)입니다.

2

1	2	3	4	5	6	7	8	9	10
11	12	13	14	15	16	17	18	19	20
21	22	23	24	25	26	27	28	29	30
31	32	33	34	35	36	37	38	39	40

5, 10, 15, 20,
25, 30, 35, 40

➡ 색칠한 수들은 (3 , 5)부터 시작하여 (5 , 10)씩 뛰어 세는 규칙입니다.

[01~08] 시계를 보고 시각을 쓰시오.

01
(   )

02
(   )

03
(   )

04
(   )

05
(   )

06
(   )

07
(   )

08
(   )

[09~12] 규칙에 따라 빈칸에 알맞은 그림을
그려 보시오.

09 △ ▽ △ ▽ △ ▽ △ ☐

10 ■ ■ ■ ■ ■ ■ ☐ ■ ■

11 ☆ ☆ ● ☆ ☆ ☐ ☆ ☆ ●

12 ◇ ◺ ● ◇ ◺ ● ☐ ◺

[13~15] 수 배열표를 보고 ☐ 안에 알맞은 수
를 써넣으시오.

1	2	3	4	5	6	7	8	9	10
11	12	13	14	15	16	17	18	19	20
21	22	23	24	25	26	27	28	29	30
31	32	33	34	35	36	37	38	39	40

13 -----에 있는 수는 6부터 시작하여
☐ 씩 커집니다.

14 -----에 있는 수는 21부터 시작하여
☐ 씩 커집니다.

15 색칠한 수는 1부터 시작하여 ☐ 씩
커집니다.

29 덧셈하기(1)

○ 7+6의 계산

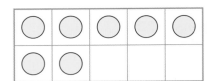 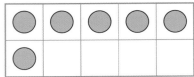

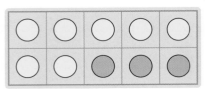 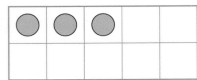

🔵 3개를 왼쪽 수판으로 옮겨서 10을 만들었어요.

🔴 6개 중 ❶[   ]개를 왼쪽 수판으로 옮겨서

❷[   ]개를 먼저 만들고, 남은 🔵 3개를 더합니다.

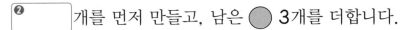

$$7 + 6 = 13$$

3　3

[답] ❶ 3　❷ 10

핵심 체크

1　8+4=(12 , 14)입니다.

2　2

9가 10이 되도록 8을 1과 7로 가르기 해요.

2　9+8=(17 , 19)입니다.

1　7

30 덧셈하기(2)

● 5+9의 계산

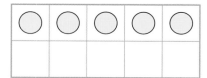 

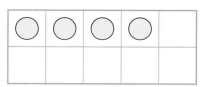 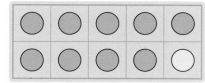

◯ 5개 중 ^❶[　　] 개를 오른쪽 수판으로 옮겨서

^❷[　　] 개를 먼저 만들고, 남은 ◯ 4개를 더합니다.

$$5 + 9 = 14$$

　　4　　1

[답] ❶ 1　❷ 10

핵심체크

1　　6+5=(11 , 12)입니다.

　1　　5

2　　8+8=(16 , 18)입니다.

　6　　2

10을 만들고
남은 6을 더해요.

31 뺄셈하기(1)

● I2－4 계산하기

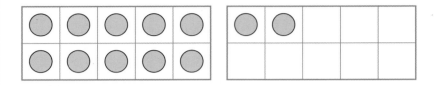

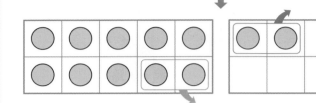

> 10이 되도록
> 먼저 2를 뺐어요.

4는 2와 2로 가르기 할 수 있습니다.

I2에서 2를 빼고 남은 I0에서 **❶**[ ]를 뺍니다.

$$I2 - 4 = \boxed{\text{❷}\ }$$

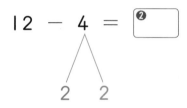

[답] ❶ 2 **❷** 8

핵심체크

[1~2] I5－8을 계산해 보시오.

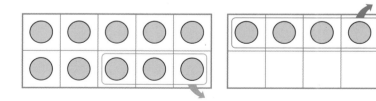

1   I5에서 5를 뺀 다음 (2 , 3)을/를 뺍니다.

2   I5－8=(7 , 8)입니다.

5   3

32 뺄셈하기(2)

● 16-9계산하기

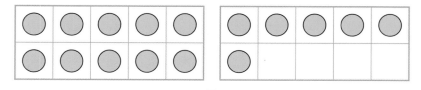

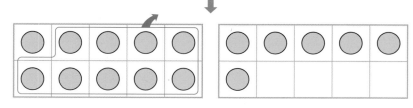

10에서 9를
한 번에 빼요.

16은 10과 [❶   ]으로 가르기 할 수 있습니다.

10에서 9를 빼고 남은 [❷   ]과 6을 더합니다.

$$16 - 9 = 7$$

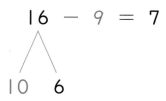

10   6

[답] ❶ 6 ❷ 1

핵심체크

[1~2] 14-8을 계산해 보시오.

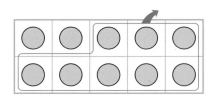   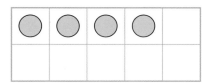

1 10에서 8을 빼고 남은 2와 (4 , 8)을/를 더합니다.

2 14-8=(6 , 7)입니다.

10   4

[01~08] 10을 이용하여 덧셈을 하시오.

01 $4+7=\boxed{}$

6 $\boxed{}$

02 $8+5=\boxed{}$

2 $\boxed{}$

03 $3+9=\boxed{}$

$\boxed{}$ 1

04 $6+8=\boxed{}$

$\boxed{}$ 2

05 $5+7=\boxed{}$

06 $6+9=\boxed{}$

07 $4+8=\boxed{}$

08 $8+7=\boxed{}$

[09~16] 10을 이용하여 뺄셈을 하시오.

09 12−8=☐

☐　6

10 17−8=☐

☐　1

11 11−7=☐

10　☐

12 12−7=☐

10　☐

13 15−6=☐

14 14−5=☐

15 16−8=☐

16 13−9=☐

2쪽   1 60에 ○표   2 아흔에 ○표

3쪽   1 59에 ○표
     2 일흔셋에 ○표

4쪽   1 76에 ○표
     2 89에 ○표
     3 큰에 ○표

5쪽   1 작습니다에 ○표
     2 큽니다에 ○표

6쪽   1 작습니다에 ○표
     2 작습니다에 ○표

7쪽   1 홀수에 ○표   2 짝수에 ○표

8쪽
01 오십사, 쉰넷   05 56
02 육십육, 예순여섯   06 73
03 칠십이, 일흔둘   07 62
04 구십, 아흔   08 89

9쪽
09 >   13 <
10 <   14 >
11 <   15 <
12 >   16 <

10쪽   1 $1+4=5$에 ○표,
      25에 ○표
     2 $5+2=7$에 ○표,
      47에 ○표

11쪽   1 4에 ○표, 40에 ○표
     2 7에 ○표, 70에 ○표

12쪽   1 $5+2=7$에 ○표,
      67에 ○표
     2 $5+4=9$에 ○표,
      49에 ○표

13쪽   1 $6-4=2$에 ○표,
      32에 ○표
     2 $8-7=1$에 ○표,
      71에 ○표

14쪽   1 0에 ○표, 40에 ○표
     2 0에 ○표, 50에 ○표

15쪽   1 $9-3=6$에 ○표,
      36에 ○표
     2 $8-4=4$에 ○표,
      64에 ○표

16쪽
01 39   05 89
02 70   06 60
03 37   07 54
04 99   08 56

17쪽
09 70   13 54
10 60   14 30
11 22   15 34
12 63   16 40

18쪽   1 ⬜에 ○표   2 4에 ○표
     3 4에 ○표

19쪽   1 △에 ○표   2 3에 ○표
     3 3에 ○표

20쪽 1 ◯에 ◯표　2 ×에 ◯표
3 ◯에 ◯표

21쪽 1 |에 ◯표　2 4에 ◯표
3 3에 ◯표

22쪽
01 □　　05 ◯
02 ◯　　06 □
03 △　　07 △
04 ◯　　08 □

23쪽
09 ◯에 ◯표
10 □에 ◯표
11 ◯에 ◯표
12 △에 ◯표
13 △에 ◯표
14 □에 ◯표
15 ◯에 ◯표

24쪽 1 7에 ◯표, 9에 ◯표
2 8에 ◯표

25쪽 1 4에 ◯표, 2에 ◯표
2 2에 ◯표

26쪽 1 3에 ◯표, 12에 ◯표
2 13에 ◯표, 13에 ◯표,
같습니다에 ◯표

27쪽 1 10에 ◯표
2 8+2에 ◯표

28쪽 1 6에 ◯표, 6에 ◯표
2 2에 ◯표

29쪽 1 8과 2에 ◯표, 14에 ◯표
2 9와 |에 ◯표, 17에 ◯표

30쪽
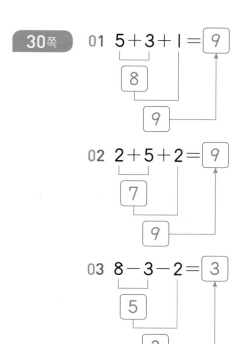

05 9
06 7
07 2
08 3

31쪽
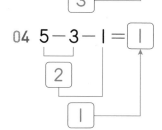

09	10	13	12
10	10	14	12
11	7	15	18
12	5	16	17

32쪽 1 ○에 ○표   2 ×에 ○표

33쪽 1 ○에 ○표   2 ○에 ○표

34쪽 1 ○에 ○표   2 ↓에 ○표

35쪽 1 ×에 ○표   2 ○에 ○표

36쪽 1 ◺와 ◹에 ○표
      2 ◺에 ○표

37쪽 1 커집니다에 ○표, 60에 ○표
      2 5에 ○표, 5에 ○표

38쪽 01 3시   05 8시 30분
      02 2시 30분   06 7시
      03 4시   07 11시 30분
      04 5시 30분   08 6시

39쪽 09 ▽   13 10
      10 ■   14 1
      11 ●   15 3
      12 ◇

40쪽 1 12에 ○표   2 17에 ○표

41쪽 1 11에 ○표   2 16에 ○표

42쪽 1 3에 ○표   2 7에 ○표

43쪽 1 4에 ○표   2 6에 ○표

44쪽

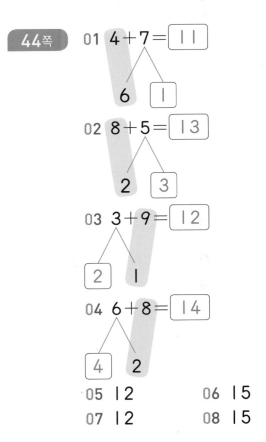

01 4+7= 11
        6   1

02 8+5= 13
        2   3

03 3+9= 12
     2   1

04 6+8= 14
     4   2

05 12   06 15
07 12   08 15

45쪽

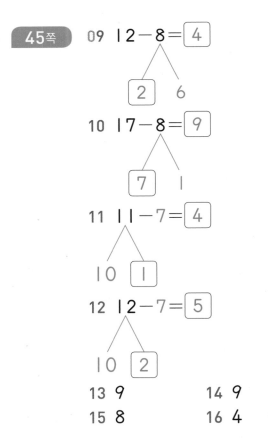

09 12-8= 4
        2 6

10 17-8= 9
        7 1

11 11-7= 4
     10 1

12 12-7= 5
     10 2

13 9   14 9
15 8   16 4

우리 아이만
알고 싶은
상위권의
시작

최고를
경험해 본 아이의 성취감은
학년이 오를수록
빛을 발합니다

완 성

최고수준

문제

초등수학
5-2

* 1~6학년 / 학기 별 출시
동영상 강의 제공

핵심개념
유형연습
탄탄하게!

수학
전략

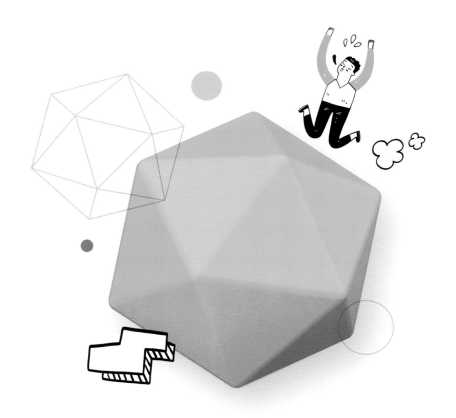

초등생의 필수 학습!
탄탄하게 다져투자!

수학
전략

초등 **수학**

1·2

정답 및 풀이

천재교육

정답 및
풀이

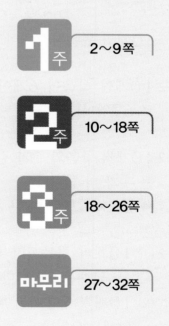

1주 2~9쪽

2주 10~18쪽

3주 18~26쪽

마무리 27~32쪽

초등 수학 1·2

정답 및 풀이

개념 돌파 전략 ① 개념 기초 확인   9, 11쪽

1-1 6, 60	1-2 7, 70
2-1 8, 3, 83	2-2 6, 7, 67
3-1 74에 ○표	3-2 84에 ○표
4-1 (1) 48 (2) 64	4-2 (1) 80 (2) 50
5-1 (1) 38 (2) 88	5-2 (1) 31 (2) 35

1-2

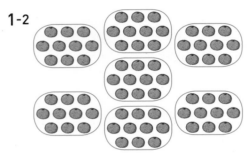

10개씩 묶음이 7개이므로 70입니다.

2-2 10개씩 묶음이 6개이고 낱개가 7개이므로 67입니다.

3-2 10개씩 묶음의 수가 같으므로 낱개의 수가 큰 수가 더 큽니다.
　➡ 2<4이므로 더 큰 수는 84입니다.

4-2 (1) 10개씩 묶음끼리 더하면 5+3=8이고, 낱개는 0입니다.
　(2) 10개씩 묶음끼리 빼면 9-4=5이고, 낱개는 0입니다.

5-2 낱개는 낱개끼리, 10개씩 묶음은 10개씩 묶음끼리 뺍니다.

(1)
```
   9 7
 - 6 6
 -----
   3 1
```
(2)
```
   7 8
 - 4 3
 -----
   3 5
```

개념 돌파 전략 ②   12~13쪽

1 97	2 79, 81
3 <	
4 (1) 49 (2) 73 (3) 68 (4) 34	
5 (교차 연결)	6 (1) 77 (2) 54

1 10개씩 묶음 9개와 낱개 7개이므로 97입니다.

2 80보다 1만큼 더 작은 수는 80 바로 앞에 있는 수이므로 79이고, 80보다 1만큼 더 큰 수는 80 바로 뒤에 있는 수이므로 81입니다.

3 10개씩 묶음의 수가 6으로 같고 낱개의 수가 63은 3, 65는 5입니다.
　➡ 10개씩 묶음의 수가 같고 낱개의 수는 63이 65보다 작으므로 63은 65보다 작습니다.

4 (1)
```
   4 7
 +   2
 -----
   4 9
```
(2)
```
   7 6
 -   3
 -----
   7 3
```
(3)
```
   6 3
 +   5
 -----
   6 8
```
(4)
```
   3 8
 -   4
 -----
   3 4
```

5
```
   5 0        2 0        7 0
 + 3 0      + 4 0      - 3 0
 -----      -----      -----
   8 0        6 0        4 0
```

6 (1)
```
   6 2
 + 1 5
 -----
   7 7
```
(2)
```
   9 8
 - 4 4
 -----
   5 4
```

필수 체크 전략 ❶ 　14~17 쪽

필수 예제 01 8, 3, 83 ; 팔십삼, 여든셋

확인 1-1 65 ; 육십오, 예순다섯

확인 1-2 78 ; 칠십팔, 일흔여덟

필수 예제 02 74, 76, 79, 81, 82, 84

확인 2-1

57	58	59	60	61	
					62
	67	66	65	64	63
68					
69	70	71	72	73	74

확인 2-2

		89			97
82	88	90		96	98
83	87	91		95	99
84	86	92		94	100
	85		93		

필수 예제 03 ⑴ 22, 13 ⑵ 2

확인 3-1 24, 13, 11

확인 3-2 35, 22, 57 또는 22, 35, 57

필수 예제 04 74, 99

확인 4-1 77　　　　　**확인 4-2** 97

확인 1-1

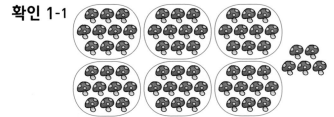

10개씩 묶음 6개와 낱개 5개는 65 입니다.
65는 육십오 또는 예순다섯이라고 읽습니다.

확인 1-2

10개씩 묶음 7개와 낱개 8개는 78 입니다.
78은 칠십팔 또는 일흔여덟이라고 읽습니다.

확인 2-1 57부터 수를 순서대로 씁니다.

확인 2-2 82부터 수를 순서대로 씁니다.
99보다 1만큼 더 큰 수는 100입니다.

확인 3-1 딸기우유의 수 24에서 초코우유의 수 13을 뺍니다.
➡ 20에서 10을 빼면 10이고 4에서 3을 빼면 1이므로 계산 결과는 11입니다.

확인 3-2 사과의 수 35와 귤의 수 22를 더합니다.
➡ 30과 20을 더하면 50이고, 5와 2를 더하면 7이므로 계산 결과는 57입니다.

확인 4-1 모형이 나타내는 수는 10개씩 묶음이 4개, 낱개가 6개이므로 46입니다.
따라서 모형이 나타내는 수보다 31만큼 더 큰 수는 46+31=77입니다.

확인 4-2 모형이 나타내는 수는 10개씩 묶음이 5개, 낱개가 3개이므로 53입니다.
따라서 모형이 나타내는 수보다 44만큼 더 큰 수는 53+44=97입니다.

정답 및 풀이

필수 체크 전략 ②

18~19쪽

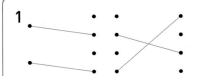

2 (1) 52 (2) 86

3

4 34＋22＝56 또는 22＋34＝56,
56장

5 48－15＝33, 33마리

6 ( )(○)( )

---

1 10개씩 묶음이 7개인 수 ➡ 70
➡ 70은 칠십 또는 일흔이라고 읽습니다.
10개씩 묶음이 9개인 수 ➡ 90
➡ 90은 구십 또는 아흔이라고 읽습니다.

2 (1) 10개씩 묶음 5개와 낱개 2개는 52입니다.
(2) 10개씩 묶음 8개와 낱개 6개는 86입니다.

3 89부터 수를 순서대로 이어 봅니다.
89－90－91－92－93－94－95
－96－97－98－99－100

4 (빨간색 색종이 수)＋(파란색 색종이 수)
＝34＋22＝56(장)

5 (꿀벌 수)－(나비 수)＝48－15
＝33(마리)

---

6 36＋2＝38, 20＋20＝40,
14＋23＝37
➡ 40＞38＞37이므로 합이 가장 큰 것은 20＋20입니다.

1주 03일

필수 체크 전략 ①

20~23쪽

필수 예제 01 5개
확인 1-1 15개   **확인 1-2** 15개
필수 예제 02 73, 74, 75, 76, 77
확인 2-1 6개   **확인 2-2** 9개
필수 예제 03 46, 45, 44 ; 1, 25, 43
확인 3-1 48, 47, 46 ; 13＋32＝45
확인 3-2 20, 21, 22 ; 57－34＝23
필수 예제 04 (1) (위에서부터) 3, 1
(2) (위에서부터) 7, 4
확인 4-1 (왼쪽부터)   **확인 4-2** (위에서부터)
5, 2   9, 3

확인 1-1 짝수는 둘씩 짝을 지을 수 있는 수입니다.
42, 44, 46, 48, 50,
52, 54, 56, 58, 60,
62, 64, 66, 68, 70
➡ 짝수는 모두 15개입니다.

확인 1-2 홀수는 둘씩 짝을 지을 수 없는 수입니다.
71, 73, 75, 77, 79,
81, 83, 85, 87, 89,
91, 93, 95, 97, 99
➡ 홀수는 모두 15개입니다.

확인 2-1 93부터 100까지의 수를 순서대로 쓰면 93, 94, 95, 96, 97, 98, 99, 100입니다.

➡ 93과 100 사이의 수는 94, 95, 96, 97, 98, 99로 모두 6개입니다.

주의

93과 100 사이의 수에 93과 100은 포함되지 않습니다.

확인 2-2 65부터 75까지의 수를 순서대로 쓰면 65, 66, 67, 68, 69, 70, 71, 72, 73, 74, 75입니다.

➡ 65와 75 사이의 수는 66, 67, 68, 69, 70, 71, 72, 73, 74로 모두 9개입니다.

주의

65와 75 사이의 수에 65와 75는 포함되지 않습니다.

확인 3-1 더해지는 수는 같고 더하는 수는 1씩 작아집니다.

➡ 다음에 올 덧셈식은 $13+32=45$ 입니다.

확인 3-2 빼지는 수는 같고 빼는 수는 1씩 작아집니다.

➡ 다음에 올 뺄셈식은 $57-34=23$ 입니다.

확인 4-1 낱개끼리 계산: $6+\square=8$ ➡ $\square=2$
10개씩 묶음끼리 계산: $3+\square=8$
➡ $\square=5$

확인 4-2 낱개끼리 계산: $\square-8=1$ ➡ $\square=9$
10개씩 묶음끼리 계산: $5-\square=2$
➡ $\square=3$

필수 체크 전략 ② 24~25쪽

1 70원
2 (1) 84에 ○표 (2) 96에 ○표
3 (1) 73 (2) 88   4 (1) 50 (2) 22
5 70, 30   6 48장

1 10원짜리 동전 7개는 70원입니다.

2 (1) 10개씩 묶음의 수가 59는 5, 63은 6, 84는 8입니다. ➡ $8>6>5$이므로 가장 큰 수는 84입니다.
  (2) 10개씩 묶음의 수가 더 큰 96과 91 중에서 낱개의 수가 더 큰 96이 가장 큰 수입니다.

3 (1) 낱개 13개는 10개씩 묶음 1개와 낱개 3개입니다.
    ➡ 10개씩 묶음 7개와 낱개 3개이므로 73입니다.
  (2) 낱개 18개는 10개씩 묶음 1개와 낱개 8개입니다.
    ➡ 10개씩 묶음 8개와 낱개 8개이므로 88입니다.

참고

낱개 ■▲개는 10개씩 묶음 ■개와 낱개 ▲개입니다.

4 (1) $30+20=\square$이므로 $\square=50$입니다.
  (2) $67-45=\square$이므로 $\square=22$입니다.

5 3, 4, 5, 6, 7 중에서 차가 4인 두 수는 3과 7이므로 주어진 수 중에서 차가 40인 두 수는 30과 70입니다.

➡ $70-30=40$
     $7-3=4$

6 (성빈이가 모은 붙임딱지 수)
$=26-4=22$(장)
➡ (윤아와 성빈이가 모은 붙임딱지 수)
$=26+22=48$(장)

대표 **예제 01** 100, 백

대표 **예제 02** 78원

대표 **예제 03** (1) < (2) >

대표 **예제 04** 편의점

대표 **예제 05**

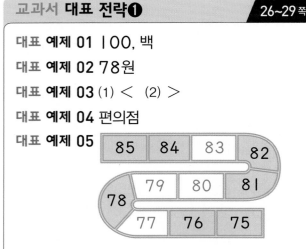

대표 **예제 06** 69, 96

대표 **예제 07** $\boxed{64}<\boxed{75}$, $\boxed{82}<\boxed{96}$

대표 **예제 08** 민경, 건희, 승호

대표 **예제 09** 49

대표 **예제 10** ╳

대표 **예제 11** 5, 17 ; 17켤레

대표 **예제 12** 12, 23 ; 23명

대표 **예제 13** 62

대표 **예제 14** $32+26=32+20+6$
$=52+6=58$

대표 **예제 15** 1, 1

대표 **예제 16** 50

대표 **예제 01** 99보다 1만큼 더 큰 수를 100이라고 하고 백이라고 읽습니다.

대표 **예제 02** 10원짜리 동전이 7개, 1원짜리 동전이 8개이므로 동전은 모두 78원입니다.

대표 **예제 03** (1) 10개씩 묶음의 수가 큰 수가 더 큽니다.
➡ $66 \ \textcircled{<} \ 77$
$6<7$
(2) 10개씩 묶음의 수가 같으므로 낱개의 수가 큰 수가 더 큽니다.
➡ $86 \ \textcircled{>} \ 82$
$6>2$

대표 **예제 04** 집에서 더 가까운 곳은 걸음 수가 더 적은 곳입니다.
94>88이므로 집에서 더 가까운 곳은 편의점입니다.

대표 **예제 05** 85부터 시작하여 1만큼씩 작아지는 수를 알아봅니다.

대표 **예제 06** 10개씩 묶음의 수가 6이고 낱개의 수가 9인 수 ➡ 69
10개씩 묶음의 수가 9이고 낱개의 수가 6인 수 ➡ 96

대표 **예제 07** 80보다 작은 수는 64와 75입니다. ➡ 64<75
80보다 큰 수는 82와 96입니다. ➡ 82<96

대표 **예제 08** 승호가 딴 사과는 64개보다 1개 더 적으므로 63개입니다.
64, 78, 63을 큰 수부터 차례로 쓰면 78, 64, 63입니다.
➡ 사과를 많이 딴 순서대로 이름을 쓰면 민경, 건희, 승호입니다.

대표 예제 09 ⬤ 모양에 적힌 수는 26과 23 입니다.
➡ 26+23=49

대표 예제 10 20+30=50　20+50=70
30+50=80　40+40=80
40+30=70　10+40=50

대표 예제 11 운동화의 수와 구두의 수를 더합니다.
(운동화의 수)+(구두의 수)
=12+5=17(켤레)

대표 예제 12 운동장에서 놀고 있었던 학생 수에서 교실로 들어간 학생 수를 뺍니다.
(운동장에서 놀고 있었던 학생 수)
-(교실로 들어간 학생 수)
=35-12=23(명)

대표 예제 13 가장 큰 수는 86이고 가장 작은 수는 24입니다.
➡ 86-24=62

대표 예제 14 21에 40을 더하고 5를 더했으므로 32에 20을 더하고 6을 더합니다.
➡ 32+26=32+20+6
=52+6=58

대표 예제 15 더해지는 수는 32로 같고 더하는 수는 7, 6, 5로 1씩 작아집니다.
➡ 합도 39, 38, 37로 1씩 작아집니다.

대표 예제 16 만들 수 있는 가장 큰 수는 74이고 가장 작은 수는 24입니다.
➡ 74-24=50

교과서 대표 전략 ❷　**30~31쪽**

1 ⠿⠿ (선 연결)　2 76 ⟩ 74
3 58, 59, 60, 61　4 89
5 37, 15, 22 ; 22개
6 (　) (　) (○)
7 수찬　　8 58, 26

1 10개씩 묶음 6개와 낱개 3개는 63입니다.
➡ 육십삼
10개씩 묶음 9개와 낱개 6개는 96입니다.
➡ 구십육
10개씩 묶음 7개와 낱개 3개는 73입니다.
➡ 칠십삼

2 10개씩 묶음 7개와 낱개 6개는 76이고, 10개씩 묶음 7개와 낱개 4개는 74입니다. 10개씩 묶음의 수가 같으므로 낱개의 수가 큰 수가 더 큽니다.
➡ 76은 74보다 큽니다.

3 쉰일곱은 57이고 예순둘은 62입니다.
➡ 57과 62 사이의 수는 58, 59, 60, 61입니다.

4 87과 90 사이의 수는 88, 89입니다.
➡ 88과 89 중 홀수는 89입니다.

5 (축구공의 수)-(야구공의 수)
=37-15=22(개)

6
$$\begin{array}{r} 3\ 2 \\ +\ 4\ 4 \\ \hline 7\ 6 \end{array} \qquad \begin{array}{r} 1\ 6 \\ +\ 5\ 3 \\ \hline 6\ 9 \end{array} \qquad \begin{array}{r} 5\ 0 \\ +\ 2\ 8 \\ \hline 7\ 8 \end{array}$$
➡ 76, 69, 78 중 가장 큰 수는 78입니다.

7 수찬: 32에서 3은 10개씩 묶음의 수이므로 30을 나타냅니다. 따라서 26에 30을 더한 값에 다시 2를 더해야 합니다.

8 낱개끼리의 차가 2인 두 수는 15와 37, 26과 58입니다. 이 중에서 10개씩 묶음끼리의 차가 3인 두 수는 26과 58입니다.
➡ $58-26=32$

누구나 만점 전략　　　　　**32~33쪽**

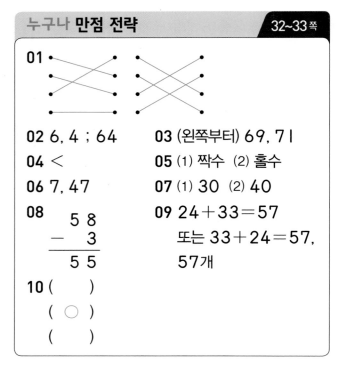

02 6, 4 ; 64　　　**03** (왼쪽부터) 69, 71
04 <　　　　　　　**05** (1) 짝수 (2) 홀수
06 7, 47　　　　　**07** (1) 30 (2) 40
08
$$\begin{array}{r} 5\ 8 \\ -\ \ 3 \\ \hline 5\ 5 \end{array}$$
09 $24+33=57$
또는 $33+24=57$,
57개
10 (　　)
　　(○)
　　(　　)

---

01 60은 육십 또는 예순이라고 읽습니다.
70은 칠십 또는 일흔이라고 읽습니다.
80은 팔십 또는 여든이라고 읽습니다.
90은 구십 또는 아흔이라고 읽습니다.

02 10개씩 묶음 6개와 낱개 4개이므로 64입니다.

03 70보다 1만큼 더 작은 수는 70 바로 앞에 있는 수이므로 69입니다.
70보다 1만큼 더 큰 수는 70 바로 뒤에 있는 수이므로 71입니다.

---

04 10개씩 묶음의 수가 6으로 같으므로 낱개의 수를 비교합니다.
➡ $3<5$이므로 63은 65보다 작습니다.

05 (1) 풀의 수는 8개입니다. 8은 둘씩 짝을 지을 수 있는 수이므로 짝수입니다.
(2) 가위의 수는 5개입니다. 5는 둘씩 짝을 지을 수 없는 수이므로 홀수입니다.

06 10개씩 묶음 4개와 낱개 7개이므로 47입니다.

07 (1)
$$\begin{array}{r} 6\ 0 \\ -\ 3\ 0 \\ \hline 3\ 0 \end{array}$$
$6-3=3$
(2)
$$\begin{array}{r} 9\ 0 \\ -\ 5\ 0 \\ \hline 4\ 0 \end{array}$$
$9-5=4$

08 낱개끼리 줄을 맞추어 쓰지 않아서 계산이 틀렸습니다.

09 수박의 수와 멜론의 수를 더합니다.
➡ $24+33=57$(개)

10 $86-55=31$, $67-13=54$, $94-42=52$
➡ 31, 54, 52 중 가장 큰 수는 54이므로 차가 가장 큰 것은 $67-13$입니다.

창의·융합·코딩 전략 ❶　　　　**34~35쪽**

1 60 ; 육십, 예순　　　**2** 50개

---

1 59보다 1만큼 더 큰 수는 59 바로 뒤에 있는 수이므로 60입니다. 60은 육십 또는 예순이라고 읽습니다.

2 (갈색 달걀 수)+(흰색 달걀 수)
　= $30+20=50$(개)

창의·융합·코딩 전략❷ 36~39쪽

1 (1) 63살 (2) 85살

2
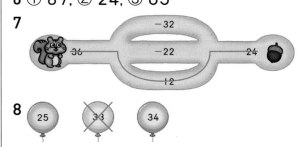

14	15	16
17	18	19
20	21	22

3 67, 68, 76, 78, 86, 87

4 (왼쪽부터) 86, 56

5 67원

6 ① 89, ② 24, ③ 65

7

8 25 33 34

---

1 (1) 긴 초의 수가 6개, 짧은 초의 수가 3개
이므로 63살입니다.
(2) 긴 초의 수가 8개, 짧은 초의 수가 5개
이므로 85살입니다.

2 둘씩 짝을 지을 수 있는 수에 빨간색으로 색
칠합니다.
➡ 14, 16, 18, 20, 22
둘씩 짝을 지을 수 없는 수에 파란색으로 색
칠합니다.
➡ 15, 17, 19, 21

3 • 10개씩 묶음의 수가 6일 때 만들 수 있
는 수: 67, 68
• 10개씩 묶음의 수가 7일 때 만들 수 있
는 수: 76, 78
• 10개씩 묶음의 수가 8일 때 만들 수 있
는 수: 86, 87

4 가장 큰 수는 8이고 그 다음으로 큰 수는 6
이므로 가장 큰 몇십몇은 86입니다.
가장 작은 수는 5이고 그 다음으로 작은 수
는 6이므로 가장 작은 몇십몇은 56입니
다.

참고
• 가장 큰 몇십몇: 10개씩 묶음의 수에 가
장 큰 수를 놓고 낱개의 수에 그 다음으로
큰 수를 놓습니다.
• 가장 작은 몇십몇: 10개씩 묶음의 수에
가장 작은 수를 놓고 낱개의 수에 그 다음
으로 작은 수를 놓습니다.

5 처음 지갑에 들어 있던 돈은 42원이고 더
넣은 돈은 25원입니다.
➡ 42+25=67(원)

6 ① 80과 9의 합을 구합니다.
➡ 80+9=89
② 20과 4의 합을 구합니다.
➡ 20+4=24
③ 89와 24의 차를 구합니다.
➡ 89-24=65

7 36-32=4, 36-22=14,
36-12=24이므로 -12가 있는 길을
따라가야 합니다.

8 10개씩 묶음의 수의 합이 5인 두 수는 25
와 33, 25와 34입니다. 이 중에서 낱개
의 수의 합이 9인 두 수는 25와 34입니
다.
➡ 25+34=59
따라서 필요 없는 풍선은 33이 쓰여 있는
풍선입니다.

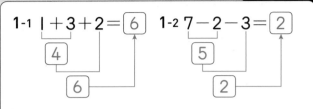

개념 돌파 전략① 개념 기초 확인　43, 45쪽

1-1 $1+3+2=\boxed{6}$
　　4
　　6

1-2 $7-2-3=\boxed{2}$
　　5
　　2

2-1 (1) 5　(2) 2　(3) 6　　2-2 (1) 9　(2) 5　(3) 3
3-1 13　　　　　　　　　　3-2 14
4-1 8　　　　　　　　　　 4-2 8

1-2 $7-2-3=2$
　　 5
　　 2

앞의 두 수의 뺄셈을 먼저 하면 $7-2=5$ 입니다. 이 수에서 나머지 한 수를 빼면 $5-3=2$입니다.

2-2 (1)
10개 중에서 1개를 지우면 9개가 남습니다.

(2)
10개 중에서 5개를 지우면 5개가 남습니다.

(3)
10개 중에서 7개를 지우면 3개가 남습니다.

3-2 뒤의 수 5에 5를 더해서 10을 만듭니다.
➡ 만든 수 10과 남은 수 4를 더하면 14가 됩니다.

4-2 10에서 9를 한 번에 빼면 1이 남습니다.
➡ 남은 수 1에 7을 더하면 8이 됩니다.

개념 돌파 전략❷　46~47쪽

1 10, 11, 12 ; 12
2 (1) 5 ; 5　(2) 7 ; 7
3 $3+4+6=\boxed{13}$
　　　　10
　　　13

4 14, 4

5 (예)
$7+4=\boxed{11}$
　　3　1

6 (예)
$12-6=\boxed{6}$
　2　$\boxed{4}$

---

1 구슬이 7개하고 5개 더 있으므로 7하고 8, 9, 10, 11, 12입니다.
➡ $7+5=12$

2 (1) 10은 5와 5로 가르기 할 수 있으므로 $10-5=5$입니다.
　(2) 10은 3과 7로 가르기 할 수 있으므로 $10-3=7$입니다.

3 뒤의 두 수 4와 6을 더해서 10을 만듭니다. 만든 10에 나머지 한 수 3을 더하면 13입니다.

4 오른쪽 수판에서 왼쪽 수판으로 2를 옮겨서 10을 만들면 10과 4가 되어 14가 됩니다. ➡ 14는 10과 4로 가르기 할 수 있습니다.

5 7이 10이 되도록 4를 3과 1로 가르기 합니다. ➡ 7에 3을 더해서 만든 수 10과 남은 수 1을 더하면 11이 됩니다.

6 12가 10이 되려면 2를 빼야 하므로 6을 2와 4로 가르기 합니다. ➡ 12에서 2를 빼어 남은 수 10에서 4를 빼면 6이 됩니다.

필수 체크 전략❶ 48~51쪽

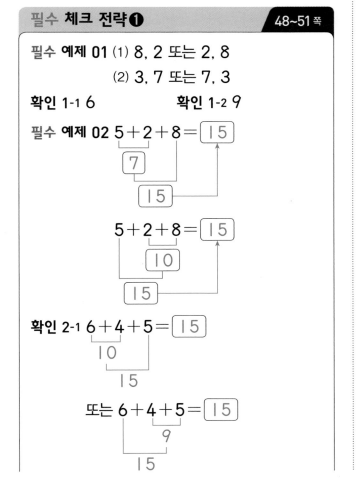

필수 예제 01 (1) 8, 2 또는 2, 8
                    (2) 3, 7 또는 7, 3

확인 1-1 6   **확인 1-2** 9

필수 예제 02 $5+2+8=\boxed{15}$

$$\boxed{7}$$
$$\boxed{15}$$

$5+2+8=\boxed{15}$
$$\boxed{10}$$
$$\boxed{15}$$

확인 2-1 $6+4+5=\boxed{15}$
$$\boxed{10}$$
$$15$$

또는 $6+4+5=\boxed{15}$
$$9$$
$$15$$

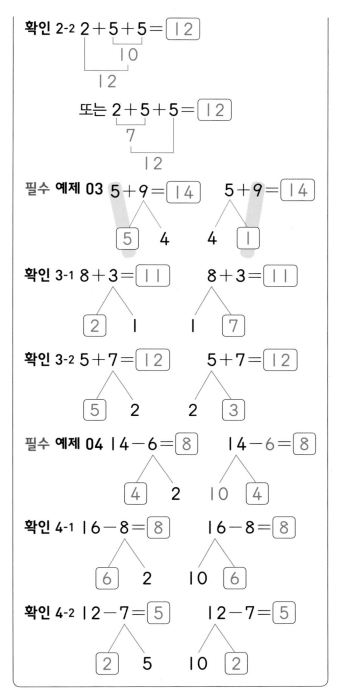

확인 2-2 $2+5+5=\boxed{12}$
$$\boxed{10}$$
$$12$$

또는 $2+5+5=\boxed{12}$
$$7$$
$$12$$

필수 예제 03 $5+9=\boxed{14}$ $5+9=\boxed{14}$
$$\boxed{5} \quad 4 \qquad 4 \quad \boxed{1}$$

확인 3-1 $8+3=\boxed{11}$ $8+3=\boxed{11}$
$$\boxed{2} \quad 1 \qquad 1 \quad \boxed{7}$$

확인 3-2 $5+7=\boxed{12}$ $5+7=\boxed{12}$
$$\boxed{5} \quad 2 \qquad 2 \quad \boxed{3}$$

필수 예제 04 $14-6=\boxed{8}$ $14-6=\boxed{8}$
$$\boxed{4} \quad 2 \qquad 10 \quad \boxed{4}$$

확인 4-1 $16-8=\boxed{8}$ $16-8=\boxed{8}$
$$\boxed{6} \quad 2 \qquad 10 \quad \boxed{6}$$

확인 4-2 $12-7=\boxed{5}$ $12-7=\boxed{5}$
$$\boxed{2} \quad 5 \qquad 10 \quad \boxed{2}$$

확인 1-1 편 손가락의 수는 4개입니다.
➡ 4와 더해서 10이 되는 수는 6입니다.

확인 1-2 편 손가락의 수는 1개입니다.
➡ 1과 더해서 10이 되는 수는 9입니다.

정답 및 풀이

확인 2-1

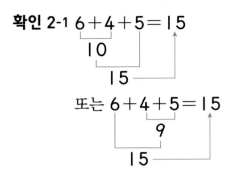

$6+4+5=15$

또는 $6+4+5=15$

확인 2-2

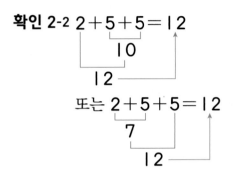

$2+5+5=12$

또는 $2+5+5=12$

확인 3-1
- 8에 2를 더해서 만든 수 10과 남은 수 1을 더하면 11이 됩니다.
- 3에 7을 더해서 만든 수 10과 남은 수 1을 더하면 11이 됩니다.

확인 3-2
- 5에 5를 더해서 만든 수 10과 남은 수 2를 더하면 12가 됩니다.
- 7에 3을 더해서 만든 수 10과 남은 수 2를 더하면 12가 됩니다.

확인 4-1
- 16에서 6을 빼어 남은 수 10에서 2를 빼면 8이 됩니다.
- 10에서 8을 빼어 남은 수 2에 6을 더하면 8이 됩니다.

확인 4-2
- 12에서 2를 빼어 남은 수 10에서 5를 빼면 5가 됩니다.
- 10에서 7을 빼어 남은 수 3에 2를 더하면 5가 됩니다.

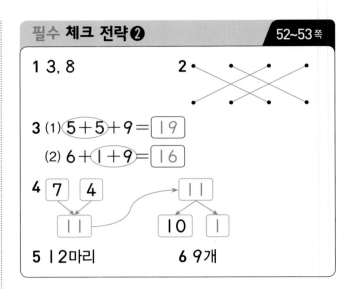

1 3, 8   **2** (교차선)

3 (1) $5+5+9=19$ (2) $6+1+9=16$

4 7   4 → 11 / 11 → 10   1

5 12마리   **6** 9개

1 축구공이 3개, 농구공이 2개, 야구공이 3개입니다.

$3+2+3=8$ 또는 $3+2+3=8$

2 주어진 수 중에서 합이 10이 되는 두 수는 3과 7, 6과 4, 9와 1, 5와 5입니다.

3 합이 10이 되는 두 수를 먼저 더합니다.

(1) $5+5+9=19$ (2) $6+1+9=16$

4 7과 4를 모으기 하면 10과 1이 되어 11이 됩니다.

➡ 11은 10과 1로 가르기 할 수 있습니다.

5 (처음에 있던 다람쥐 수)+(더 온 다람쥐 수)
$=8+4=12$(마리)

6 (처음에 있던 아이스크림 수)−(먹은 아이스크림 수)$=16-7=9$(개)

필수 체크 전략 ❶

54~57쪽

필수 **예제 01** ㅣㅣ, ㅣㅣ

확인 **1-1** · · 확인 **1-2** ·

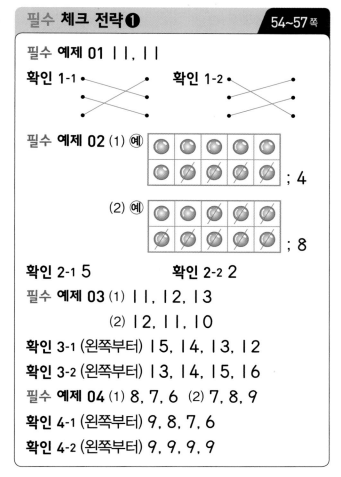

필수 **예제 02** (1) 예 ; 4

(2) 예 ; 8

확인 **2-1** 5 확인 **2-2** 2

필수 **예제 03** (1) ㅣㅣ, ㅣ2, ㅣ3
(2) ㅣ2, ㅣㅣ, ㅣ0

확인 **3-1** (왼쪽부터) ㅣ5, ㅣ4, ㅣ3, ㅣ2

확인 **3-2** (왼쪽부터) ㅣ3, ㅣ4, ㅣ5, ㅣ6

필수 **예제 04** (1) 8, 7, 6 (2) 7, 8, 9

확인 **4-1** (왼쪽부터) 9, 8, 7, 6

확인 **4-2** (왼쪽부터) 9, 9, 9, 9

확인 **1-1** 두 수를 바꾸어 더해도 결과는 같습니다.
$$3+8=8+3,$$
$$9+6=6+9,$$
$$6+7=7+6$$

확인 **1-2** 두 수를 바꾸어 더해도 결과는 같습니다.
$$9+4=4+9,$$
$$7+8=8+7,$$
$$5+6=6+5$$

확인 **2-1** ㅣ0에서 5가 남으려면 5를 빼야 합니다.

확인 **2-2** ㅣ0에서 8이 남으려면 2를 빼야 합니다.

확인 **3-1** 똑같은 수에 ㅣ씩 작은 수를 더하면 합도 ㅣ씩 작아집니다.
$$7+8=ㅣ5$$
$$7+7=ㅣ4$$
$$7+6=ㅣ3$$
$$7+5=ㅣ2$$
ㅣ씩 작아짐 ㅣ씩 작아짐

확인 **3-2** ㅣ씩 큰 수에 똑같은 수를 더하면 합도 ㅣ씩 커집니다.
$$4+9=ㅣ3$$
$$5+9=ㅣ4$$
$$6+9=ㅣ5$$
$$7+9=ㅣ6$$
ㅣ씩 커짐 ㅣ씩 커짐

확인 **4-1** ㅣ씩 작은 수에서 똑같은 수를 빼면 차도 ㅣ씩 작아집니다.
$$ㅣ7-8=9$$
$$ㅣ6-8=8$$
$$ㅣ5-8=7$$
$$ㅣ4-8=6$$
ㅣ씩 작아짐 ㅣ씩 작아짐

확인 **4-2** ㅣ씩 큰 수에서 ㅣ씩 큰 수를 빼면 차는 항상 똑같습니다.
$$ㅣ2-3=9$$
$$ㅣ3-4=9$$
$$ㅣ4-5=9$$
$$ㅣ5-6=9$$
ㅣ씩 커짐 ㅣ씩 커짐 같음

필수 체크 전략 ❷ 58~59쪽

1 4

2 14개

3 (　　) (○)

4 (1) 12 (2) 12 (3) 5 (4) 8

5 (왼쪽부터) 13, 14

6 (위에서부터) 7, 8

---

1 $9-2-3=4$(개)

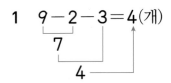

2 5+9는 9+5와 같으므로 9+5로 계산
하면 더 편리합니다.

➡ 9하고 10, 11, 12, 13, 14이므로
14입니다.

3 $7+3+4=14$　　$5+8+2=15$

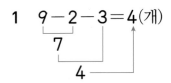

➡ 14<15이므로 계산 결과가 더 큰 식은
5+8+2입니다.

4 여러 가지 방법으로 덧셈과 뺄셈을 합니다.

5 오른쪽(→)으로 가면 더하는 수가 1씩 커지
므로 합도 1씩 커집니다.
따라서 6+7은 12보다 1 큰 수인 13이
고, 6+8은 13보다 1 큰 수인 14입니
다.

6 아래쪽(↓)으로 가면 빼지는 수가 1씩 커지
므로 차도 1씩 커집니다.
따라서 14−7은 6보다 1 큰 수인 7이고,
15−7은 7보다 1 큰 수인 8입니다.

2주 04일

교과서 대표 전략 ❶ 60~63쪽

대표 예제 01
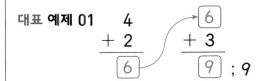 ; 9

대표 예제 02
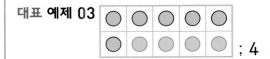 ; 2

대표 예제 03
 ; 4

대표 예제 04 (1) 6 (2) 4

대표 예제 05
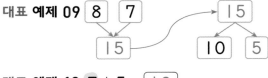

대표 예제 06 ⓔ 3, 4, 6 ; 13

대표 예제 07 <

대표 예제 08 3

대표 예제 09 8 7 → 15 ; 15 → 10 5

대표 예제 10 $7+5=12$

3 2

대표 예제 11 7

대표 예제 12 4, 8, 12 또는 8, 4, 12 ; 12개

대표 예제 13 (　　) (○)

대표 예제 14 12, 6

대표 예제 15 6

대표 예제 16 12, 12, 12, 12

대표 **예제 01** 앞의 두 수를 먼저 더하면
$4+2=6$입니다. 이 수에 나머지
한 수 3을 더하면 $6+3=9$입니다.

대표 **예제 02** 앞의 두 수의 뺄셈을 하면
$9-3=6$입니다. 이 수에서 나머지
한 수 4를 빼면 $6-4=2$입니다.

대표 **예제 03** 10이 되려면 ⬤를 4개 더 그려야
합니다.
➡ 6과 더해서 10이 되는 수는 4
입니다.

대표 **예제 04** 두 수를 바꾸어 더해도 결과는 같
습니다.
⑴ $6+7=7+6$
⑵ $8+4=4+8$

대표 **예제 05** $7+4$ ➡ 7하고 $8, 9, 10, 11$이
므로 11입니다.
$6+9$ ➡ $9+6$과 같습니다.
➡ 9하고 $10, 11, 12, 13$,
$14, 15$이므로 15입니다.
$4+8$ ➡ $8+4$와 같습니다.
➡ 8하고 $9, 10, 11, 12$
이므로 12입니다.

대표 **예제 06** 합이 10이 되는 두 수를 먼저 더
하면 편리합니다.

$$3+4+6=13$$

이때 더하는 세 수의 순서는 바뀌
어도 결과는 같습니다.

대표 **예제 07** $10-8=2$, $10-4=6$
➡ $2<6$이므로
$10-8$ ⓒ $10-4$입니다.

대표 **예제 08** 10에서 7이 남으려면 3을 빼야
하므로 어떤 수는 3입니다.

대표 **예제 09** 8과 7을 모으기 하면 10과 5가
되어 15가 됩니다. ➡ 15는 10과
5로 가르기 할 수 있습니다.

대표 **예제 10** 7에 3을 더해서 만든 수 10에 남
은 수 2를 더하면 12가 됩니다.

대표 **예제 11** $6<13$이므로 13에서 6을 뺍니다.
$13-6=7$ 또는 $13-6=7$
3 3 10 3

대표 **예제 12** (딸기 맛 우유의 수)＋(초코 맛 우유
의 수)$=4+8=12$(개)

대표 **예제 13** $12-7=5$, $15-9=6$이고
$5<6$이므로 계산 결과가 더 큰 것
은 $15-9$입니다.

대표 **예제 14** $3+9=12$, $12-6=6$

대표 **예제 15** 가장 큰 수는 14이고 가장 작은 수
는 8입니다. ➡ $14-8=6$

대표 **예제 16**
$6＋6＝12$
$7＋5＝12$
$8＋4＝12$
$9＋3＝12$
1씩 1씩 같음
커짐 작아짐

정답 및 풀이

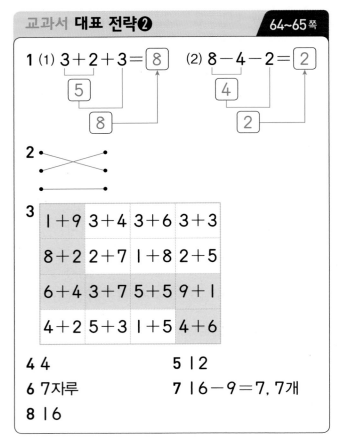

교과서 대표 전략 ❷　64~65쪽

1 (1) $3+2+3=\boxed{8}$　(2) $8-4-2=\boxed{2}$
　　　　　5　　　　　　　　　4
　　　　　　8　　　　　　　　　2

2 (교차 연결)

3
$1+9$	$3+4$	$3+6$	$3+3$
$8+2$	$2+7$	$1+8$	$2+5$
$6+4$	$3+7$	$5+5$	$9+1$
$4+2$	$5+3$	$1+5$	$4+6$

4 4　　　　　　　　5 12
6 7자루　　　　　7 16−9=7, 7개
8 16

1 (1) $3+2+3=8$　(2) $8-4-2=2$
　　　　　5　　　　　　　4
　　　　　　8　　　　　　　2

2 ⃝$7+3$⃝$+4=10+4,$
　⃝$1+9$⃝$+6=10+6,$
　$2+$⃝$5+5$⃝$=2+10$

3 계산 결과는 다음과 같습니다.

10	7	9	6
10	9	9	7
10	10	10	10
6	8	6	10

4 가장 큰 수는 10이고 가장 작은 수는 6이
므로 두 수의 차는 10−6=4입니다.

5 $8+4=12$

6 (준우의 연필 수)−(서연이의 연필 수)
　$=15-8=7$(자루)

7 (처음에 있던 바나나 수)−(먹은 바나나 수)
　$=16-9=7$(개)

8 ⬭ 모양에 쓰인 수는 7, 9입니다.
　➡ $7+9=16$

누구나 만점 전략　66~67쪽

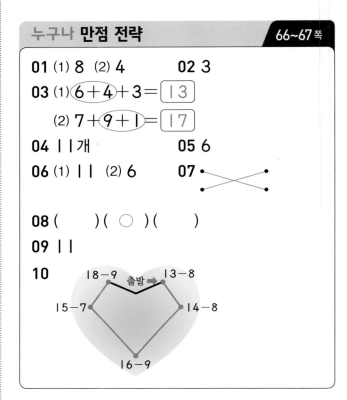

01 (1) 8　(2) 4　　　02 3
03 (1) ⃝$6+4$⃝$+3=\boxed{13}$
　　(2) $7+$⃝$9+1$⃝$=\boxed{17}$
04 11개　　　　　05 6
06 (1) 11　(2) 6　　07 (교차 연결)

08 (　　) (○) (　　)
09 11
10

01 (1) 10은 2와 8로 가르기 할 수 있으므로
　　　10−2=8입니다.
　　(2) 10은 6과 4로 가르기 할 수 있으므로
　　　10−6=4입니다.

02 $7-3-1=3$
　　　4
　　　　3

03 (1) 6+4+3=13

(2) 7+9+1=17

04 5+6=11(개)

05 4와 더해서 10이 되는 수는 6이므로 주머니 안에 있는 바둑돌은 6개입니다.

06 (1) 8+3=11 (2) 15-9=6

07 6+6=12, 8+8=16

08 11-2=9, 16-8=8, 13-6=7

09 가장 큰 수는 9이고 가장 작은 수는 2입니다. ➡ 9+2=11

10 13-8=5, 14-8=6, 16-9=7, 15-7=8, 18-9=9

➡ 5<6<7<8<9이므로 13-8, 14-8, 16-9, 15-7, 18-9의 순서로 잇습니다.

창의·융합·코딩 전략❶ 68~69쪽

1 8마리	2 16개

1 (첫 번째에 낳은 새끼 수)+(두 번째에 낳은 새끼 수)+(세 번째에 낳은 새끼 수)
=2+4+2=8(마리)

2 (팥 붕어빵의 수)+(초코 붕어빵의 수)
=9+7=16(개)

창의·융합·코딩 전략❷ 70~73쪽

1 8

2 4, 5, 민경

3

2+6	7+3	4+3	1+9	6+1
8+1	4+6	7+2	5+5	3+3
3+5	9+1	2+8	8+2	6+4
4+4	7+2	5+2	3+7	5+4

; 4

4 (1) 13 (2) 19

5 ( ) ( ) (◯)

6 8+6 ; 14

7
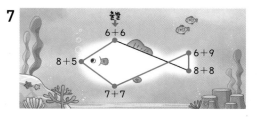

8
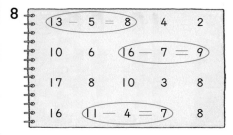

1 더해서 10이 되는 나비는 7과 3, 4와 6입니다.
따라서 남는 나비에 써 있는 수는 8입니다.

2 해찬: 10-6=4(개)
민경: 10-5=5(개)

➡ 4<5이므로 주먹을 쥔 손에 들어 있는 바둑돌은 민경이가 더 많습니다.

3 두 수의 합이 10인 덧셈식은
1+9, 2+8, 3+7, 4+6, 5+5, 6+4, 7+3, 8+2, 9+1입니다.
두 수의 합이 10인 칸을 모두 색칠하면 숫자 4가 보입니다.

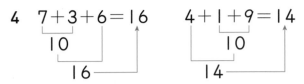
4
$$7+3+6=16$$
10
16

$$4+1+9=14$$
10
14

➡ 세 수의 합을 구하는 규칙입니다.

(1) $5+5+3=13$
10
13

(2) $9+8+2=19$
10
19

5 $14-8=6$ 또는 $14-8=6$,

$4 \quad 4 \quad 10 \quad 4$

$13-9=4$ 또는 $13-9=4$,

$3 \quad 6 \quad 10 \quad 3$

$17-8=9$ 또는 $17-8=9$

$7 \quad 1 \quad 10 \quad 7$

6 빈 곳은 $8+5$의 오른쪽이므로 더하는 수가 1 커지고 합도 1 커집니다.
따라서 $8+5$는 13이므로 빈 곳에는 $8+6$과 14를 씁니다.

다른 풀이
빈 곳은 $7+6$의 아래쪽이므로 더해지는 수가 1 커지고 합도 1 커집니다.
따라서 $7+6$은 13이므로 빈 곳에는 $8+6$과 14를 씁니다.

7 $6+6=12$, $8+5=13$, $7+7=14$, $6+9=15$, $8+8=16$
➡ $12<13<14<15<16$이므로 $6+6$, $8+5$, $7+7$, $6+9$, $8+8$의 순서로 잇습니다.

8 $16-7=9$, $11-4=7$

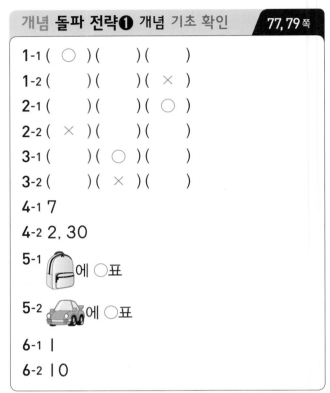

개념 돌파 전략❶ 개념 기초 확인 77, 79쪽

1-1 (○) ( ) ( )
1-2 ( ) ( ) (×)
2-1 ( ) ( ) (○)
2-2 (×) ( ) ( )
3-1 ( ) (○) ( )
3-2 ( ) (×) ( )
4-1 7
4-2 2, 30
5-1 🎒에 ○표
5-2 🚗에 ○표
6-1 1
6-2 10

1-2 트라이앵글은 ▲ 모양입니다.

2-2 나침반은 ● 모양입니다.

3-2 휴대 전화는 ■ 모양입니다.

4-2 짧은바늘이 2와 3 사이, 긴바늘이 6을 가리킵니다. 따라서 시계가 나타내는 시각은 2시 30분입니다.

5-2 🚗, 🚗, ♡가 반복됩니다. 따라서 ☐ 안에 알맞은 그림은 🚗입니다.

6-2 색칠한 수는 55, 65, 75입니다. 55부터 시작하여 10씩 커지는 규칙입니다.

개념 돌파 전략 ❷ `80~81 쪽`

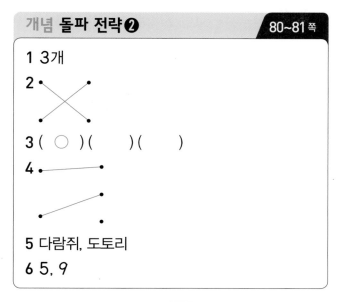

1 3개

2 (교차 연결선)

3 (◯) ( ) ( )

4 (연결선)

5 다람쥐, 도토리

6 5, 9

---

1 수첩, 액자, 칠판은 ■ 모양입니다.

　 옷걸이는 ▲ 모양입니다.

　 도넛은 ● 모양입니다.

2 표지판은 ▲ 모양, 시계는 ■ 모양입니다.

3 뾰족한 곳이 없고 둥근 부분만 있는 모양은
　 ● 모양입니다.

> **참고**
>
> ■ 모양은 뾰족한 곳이 4군데입니다.
>
> ▲ 모양은 뾰족한 곳이 3군데입니다.

4 왼쪽 위 시계는 짧은바늘이 2와 3 사이, 긴
　 바늘이 6을 가리킵니다. ➡ 2시 30분
　 왼쪽 아래 시계는 :의 앞의 수가 2이고,
　 :의 뒤의 수가 00입니다. ➡ 2시

5 다람쥐, 도토리, 도토리가 반복되는 규칙이
　 있습니다.

6 3, 5, 9가 반복되는 규칙이 있습니다.

3주 02일

필수 체크 전략 ❶ `82~85 쪽`

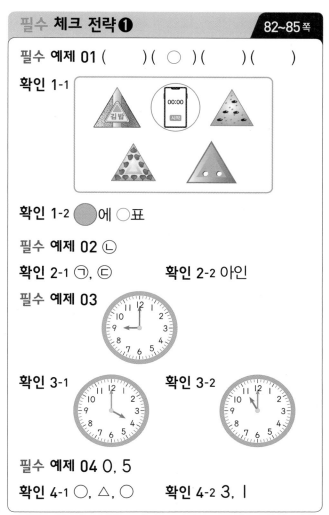

필수 예제 01 ( ) (◯) ( ) ( )

확인 1-1

확인 1-2 ● 에 ◯표

필수 예제 02 ㉡

확인 2-1 ㉠, ㉢　　　　**확인 2-2** 아인

필수 예제 03

확인 3-1　　　　**확인 3-2**

필수 예제 04 0, 5

확인 4-1 ◯, △, ◯　　　**확인 4-2** 3, 1

확인 1-1 휴대 전화는 ■ 모양입니다.

확인 1-2 단추, 접시, 동전은 ● 모양입니다.

확인 2-1 ● 모양은 뾰족한 곳과 편평한 선이
　 없고, 둥근 부분만 있습니다.

확인 2-2 ▲ 모양은 뾰족한 곳이 3군데입니다.
　 ● 모양은 편평한 선이 없습니다.

확인 3-1 4시는 짧은바늘이 4, 긴바늘이 12를 가리키도록 그립니다.

확인 3-2 11시는 짧은바늘이 11, 긴바늘이 12를 가리키도록 그립니다.

확인 4-1 ☀, 🏔, ☀가 반복되는 규칙입니다.
☀를 ○, 🏔을 △로 나타냈으므로 빈칸에 알맞은 모양은 ○, △, ○입니다.

확인 4-2 🐻, 🐻, 🥁이 반복되는 규칙입니다.
🐻을 3, 🥁을 1로 나타냈으므로 빈칸에 알맞은 수는 3, 1입니다.

필수 체크 전략 ❷   86~87쪽

1

2 지윤

3 (   )(   )(○)

4 (   )(   )(○)

5 8시 30분

6

---

1 삼각자는 △ 모양입니다. 따라서 △ 모양을 찾아 색칠합니다.

2 지윤이는 △ 모양 4개를 모았습니다. 수영이는 □ 모양 1개와 ● 모양 3개를 모았습니다.
따라서 같은 모양끼리 모은 사람은 지윤입니다.

3 뾰족한 곳이 4군데, 편평한 선이 4군데인 모양은 □ 모양입니다.
➡ □ 모양 물건은 편지 봉투입니다.

[참고]
단추: 뾰족한 곳 3군데, 편평한 선 3군데
    → △ 모양
시계: 뾰족한 곳과 편평한 선이 없음
    → ● 모양

4 6시는 짧은바늘이 6, 긴바늘이 12를 가리킵니다.

5 짧은바늘이 8과 9 사이, 긴바늘이 6을 가리킬 때의 시각은 8시 30분입니다. 따라서 서연이가 학교에 가는 시각은 8시 30분입니다.

6 첫째 줄: 빨간색, 노란색, 노란색이 반복되는 규칙입니다.
둘째 줄: 노란색, 빨간색, 노란색이 반복되는 규칙입니다.
따라서 둘째 줄 빈칸에 노란색과 빨간색을 색칠합니다.
셋째 줄: 노란색, 노란색, 빨간색이 반복되는 규칙입니다.
따라서 셋째 줄 빈칸에 노란색과 노란색을 색칠합니다.

필수 체크 전략❶ 88~91쪽

필수 예제 01 ■에 ○표

확인 1-1
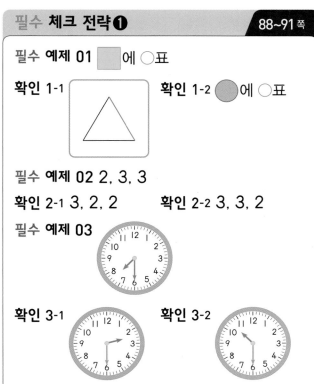

확인 1-2 ● 에 ○표

필수 예제 02 2, 3, 3

확인 2-1 3, 2, 2　　**확인 2-2** 3, 3, 2

필수 예제 03

확인 3-1　　　　**확인 3-2**

필수 예제 04 50, 60, 70

확인 4-1 2, 2, 8, 2, 2　**확인 4-2** 25, 30, 35

확인 1-1 지우개가 바닥에 닿은 부분을 본뜨면 ▲ 모양입니다.

확인 1-2 주어진 물건의 아랫부분은 둥근 부분만 있는 ● 모양입니다.

확인 2-1

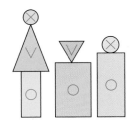

■ 모양(○표) 3개, ▲ 모양(∨표) 2개,
● 모양(×표) 2개로 꾸민 모양입니다.

확인 2-2

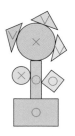

■ 모양(○표) 3개, ▲ 모양(∨표) 3개,
● 모양(×표) 2개로 꾸민 모양입니다.

확인 3-1 2시 30분은 짧은바늘이 2와 3 사이, 긴바늘이 6을 가리키도록 그립니다.

확인 3-2 10시 30분은 짧은바늘이 10과 11 사이, 긴바늘이 6을 가리키도록 그립니다.

확인 4-1 8, 2, 2를 반복하면 빈칸에 알맞은 수는 차례대로 2, 2, 8, 2, 2입니다.

확인 4-2 20보다 5만큼 더 큰 수는 25, 25보다 5만큼 더 큰 수는 30, 30보다 5만큼 더 큰 수는 35입니다.

필수 체크 전략❷ 92~93쪽

1 (　　)(　　)(○)

2
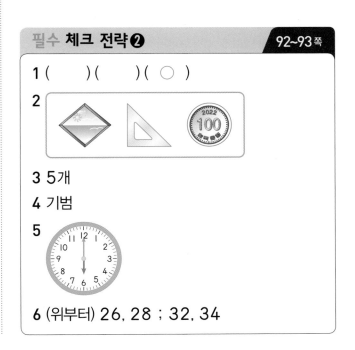

3 5개

4 기범

5

6 (위부터) 26, 28 ; 32, 34

1 엽서, 휴대폰, 표지판은 ■ 모양이므로
■ 모양의 물건을 모은 것입니다. 따라서
■ 모양인 단추를 모을 수 있습니다.

2 액자를 본뜬 모양은 ■ 모양입니다. 삼각자
를 본뜬 모양은 ▲ 모양입니다. 100원짜
리 동전을 본뜬 모양은 ● 모양입니다.
따라서 현지가 본뜬 물건은 동전입니다.

3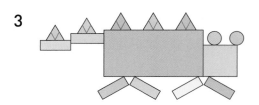

➡ ▲ 모양(∨표)은 모두 5개입니다.

4 12시 30분은 짧은바늘이 12와 1 사이,
긴바늘이 6을 가리키므로 기범이가 바르게
나타냈습니다.

5 시계가 나타내는 시각은 3시, 6시, 3시, 6시,
3시이므로 3시와 6시가 반복됩니다. 따라
서 빈 시계에 알맞은 시각은 6시입니다.
➡ 빈 시계에 짧은바늘이 6, 긴바늘이 12
를 가리키도록 그립니다.

6 오른쪽으로 갈수록 2씩 커지고 아래쪽으로
갈수록 10씩 커지는 규칙입니다.

힘내!

3주 04일

교과서 대표 전략❶ 94~97쪽

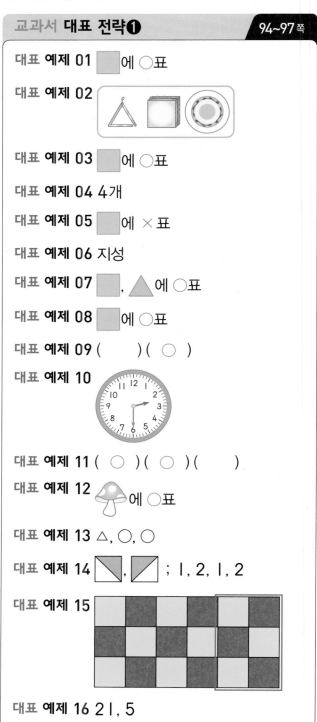

대표 예제 01 ■에 ○표

대표 예제 02

대표 예제 03 ■에 ○표

대표 예제 04 4개

대표 예제 05 ■에 ×표

대표 예제 06 지성

대표 예제 07 ■, ▲에 ○표

대표 예제 08 ■에 ○표

대표 예제 09 ( ) (○)

대표 예제 10

대표 예제 11 (○) (○) ( )

대표 예제 12 에 ○표

대표 예제 13 △, ○, ○

대표 예제 14 ; 1, 2, 1, 2

대표 예제 15

대표 예제 16 21, 5

대표 예제 01 편지 봉투, 시계, 접시는 모두 ■
모양입니다.

대표 **예제 02** 바퀴는 ● 모양입니다.

대표 **예제 03** 상자, 스케치북, 계산기 모두 ■ 모양을 찾을 수 있습니다.

대표 **예제 04**

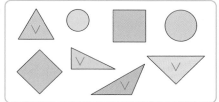

➡ ▲ 모양은 모두 4개입니다.

대표 **예제 05** 음료수 캔의 바닥에 닿은 부분을 본뜨면 ● 모양입니다.

옷걸이의 바닥에 닿은 부분을 본뜨면 ▲ 모양입니다.

따라서 음료수 캔과 옷걸이를 종이에 대고 본떠 그릴 수 없는 모양은 ■ 모양입니다.

대표 **예제 06** ● 모양은 뾰족한 곳과 편평한 선이 없고, 둥근 부분만 있습니다.

대표 **예제 07** 윗부분, 아랫부분에 물감을 묻혀 찍으면 ▲ 모양이 나옵니다. 옆부분에 물감을 묻혀 찍으면 ■ 모양이 나옵니다.

대표 **예제 08**

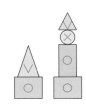

대표 **예제** ■ 모양(○표) 3개, ▲ 모양(∨표) 2개, ● 모양(×표) 1개로 꾸민 모양입니다.
모양을 꾸미는 데 가장 많이 사용한 모양은 ■ 모양입니다.

대표 **예제 09** 7시일 때 시계의 짧은바늘은 7, 긴바늘은 12를 가리킵니다.

대표 **예제 10** 2시 30분은 시계의 짧은바늘이 2와 3 사이, 긴바늘이 6을 가리키도록 그립니다.

대표 **예제 11** '몇 시 30분'일 때 시계의 짧은바늘은 두 수 사이, 긴바늘은 6을 가리킵니다.

대표 **예제 12** 버섯, 나뭇잎이 반복되는 규칙입니다.

대표 **예제 13** 곰, 곰, 토끼가 반복되는 규칙입니다. 곰은 ○로, 토끼는 △로 나타냅니다.

대표 **예제 14** ◸, ◺이 반복되는 규칙입니다.
◸은 2로, ◺은 1로 나타냅니다.

대표 **예제 15** 첫째 줄과 셋째 줄은 노란색, 빨간색이 반복되는 규칙입니다. 둘째 줄은 빨간색, 노란색이 반복되는 규칙입니다.

대표 **예제 16** 21, 26, 31, 36, 41, 46은 5씩 뛰어 세는 규칙입니다.

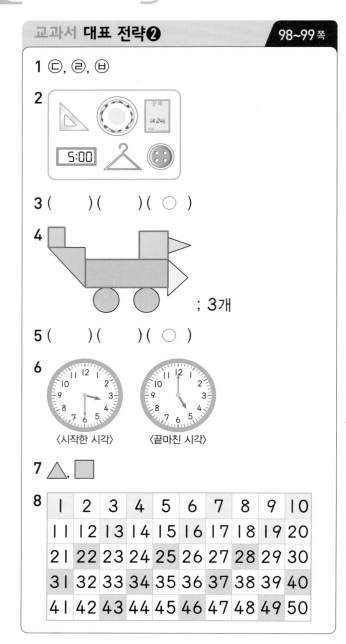

교과서 **대표 전략❷**　98~99쪽

1 ㉢, ㉣, ㉤

2

3 ( )( )(○)

4 ; 3개

5 ( )( )(○)

6 〈시작한 시각〉　〈끝마친 시각〉

7 △, ■

8

1	2	3	4	5	6	7	8	9	10
11	12	13	14	15	16	17	18	19	20
21	22	23	24	25	26	27	28	29	30
31	32	33	34	35	36	37	38	39	40
41	42	43	44	45	46	47	48	49	50

1 △ 모양은 뾰족한 곳이 3군데, 편평한 선이 3군데입니다.

➡ △ 모양은 ㉢, ㉣, ㉤입니다.

2 왼쪽 그림은 뾰족한 곳이 없고 둥근 부분만 있으므로 ● 모양의 부분을 나타낸 것입니다.

➡ ● 모양의 물건은 접시와 단추입니다.

3 편평한 선이 4군데인 모양은 ■ 모양입니다.

➡ ■ 모양 물건은 달력입니다.

4 ■ 모양 3개, △ 모양 3개, ● 모양 2개로 꾸민 모양입니다.

5 5시 30분은 짧은바늘이 5와 6 사이, 긴바늘이 6을 가리킵니다.

6 숙제를 시작한 시각은 3시 30분이므로 짧은바늘이 3과 4 사이, 긴바늘이 6을 가리키도록 그립니다.
숙제를 끝마친 시각은 5시이므로 짧은바늘이 5, 긴바늘이 12를 가리키도록 그립니다.

주의
시계에 3시 30분을 나타낼 때 시계의 짧은바늘이 3을 가리키지 않도록 주의합니다. 시계의 짧은바늘은 3과 4 사이를 가리켜야 합니다.

7 ●, △, ■가 반복되는 규칙입니다.

참고
반복되는 규칙을 찾을 때에는 반복되는 부분이 끝날 때마다 /으로 구분을 하면 규칙을 찾기 쉽습니다.

8 색칠된 수는 1부터 시작하여 3씩 커집니다. 따라서 규칙에 따라 22, 25, 28, 31, 34, 37, 40, 43, 46, 49를 색칠합니다.

누구나 만점 전략 100~101 쪽

01 ㉠, ㉣, ㉤

02 ( ) (○) ( )

03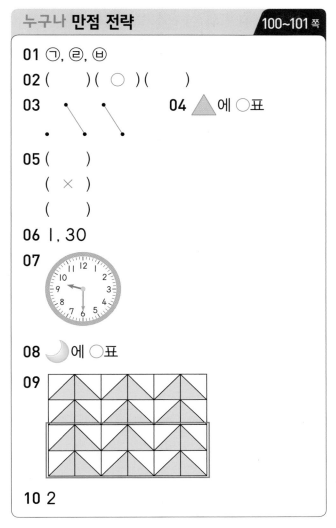

04 △에 ○표

05 ( )
(×)
( )

06 1, 30

07

08 🌙에 ○표

09

10 2

01 ■ 모양은 뾰족한 곳이 4군데이고 편평한 선이 4군데입니다.
➡ ■ 모양 물건은 ㉠, ㉣, ㉤입니다.

참고
㉡, ㉢은 ▲ 모양이고, ㉥은 ● 모양입니다.

02 풀이 바닥에 닿은 부분을 본뜨면 ● 모양입니다.

03 뾰족한 곳이 3군데인 모양은 ▲ 모양입니다. 편평한 선이 없는 모양은 ● 모양입니다.

04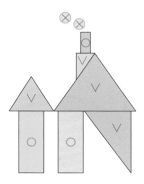

■ 모양(○표) **3**개, ▲ 모양(∨표) **4**개, ● 모양(×표) **2**개로 꾸민 모양입니다. 가장 많이 사용한 모양은 ▲ 모양입니다.

05 표지판은 각각 ▲ 모양, ■ 모양이므로 서로 다른 모양입니다.

06 짧은바늘이 1과 2 사이, 긴바늘이 6을 가리키므로 1시 30분입니다.

07 짧은바늘이 9와 10 사이, 긴바늘이 6을 가리키도록 그립니다.

08 🌙, 🌙, ☆, ☆이 반복됩니다. 따라서 다음에 올 그림은 🌙입니다.

09 ◺, ◿가 반복됩니다.

10 색칠한 수는 11부터 시작하여 2씩 커집니다.

창의·융합·코딩 전략❶ 102~103 쪽

1 5개
2 작은에 ○표, 큰에 ○표

1 ▲ 모양은 뾰족한 곳이 3군데, 편평한 선이 3군데입니다. 따라서 칠교판의 조각 중 ▲ 모양은 모두 5개입니다.

창의·융합·코딩 전략❷ 104~107쪽

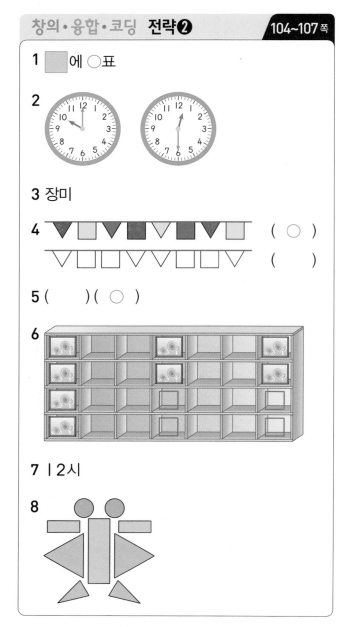

1 ▨에 ○표

2

3 장미

4 ▽ ▽ ▽ ▽ ▽ ▽ ▽ (○)
▽ ▽ ▽ ▽ ▽ ▽ ▽ ( )

5 ( ) (○)

6

7 12시

8

1 ▨ 모양: 명함 ➡ 1개

△ 모양: 접시 ➡ 1개

● 모양: 동전, 과자, 단추 ➡ 3개

따라서 ▨ 모양 물건 1개를 더 모아야 합니다.

참고

▨ 모양은 뾰족한 곳이 4군데, 편평한 선이 4군데입니다.

2 친구들을 만난 시각은 10시입니다.

➡ 짧은바늘이 10, 긴바늘이 12를 가리키도록 그립니다.

분식집에 간 시각은 12시 30분입니다.

➡ 짧은바늘이 12와 1 사이, 긴바늘이 6을 가리키도록 그립니다.

3 국화 꽃밭의 도장을 찍으면 △ 모양, 장미 꽃밭의 도장을 찍으면 ● 모양, 튤립 꽃밭의 도장을 찍으면 ▨ 모양입니다.

수첩에 도장을 찍어 나타난 모양은 ● 모양이므로 장미 꽃밭에서 도장을 찍은 것입니다.

4 ▽, ▢가 반복되는 규칙은 위쪽 장식입니다. 따라서 위쪽 장식의 모양에 빨간색, 노란색, 파란색을 반복하여 색칠합니다.

5 왼쪽 그림: ▨ 모양 2개, △ 모양 1개, ● 모양 2개

오른쪽 그림: ▨ 모양 2개, △ 모양 2개, ● 모양 2개

6 각 줄의 첫째 칸, 넷째 칸, 일곱째 칸에 액자를 넣어 두는 규칙입니다.

7 '몇 시'에 시계의 긴바늘은 항상 12를 가리킵니다.

짧은바늘과 긴바늘이 모두 12를 가리키는 시각은 12시입니다. 따라서 생일 파티는 12시에 열립니다.

8 ▨ 모양은 주황색, △ 모양은 초록색, ● 모양은 보라색을 색칠합니다.

신유형·신경향·서술형 전략   110~115쪽

1 ❶ 64, 육십사, 예순넷 ; 76, 칠십육, 일흔여섯

❷
∩∩∩∩∩∩∩∩
∩∩∩∩∩∩| |

2 ❶
🐰 30   +2   +3   +4   34 🥕

❷
🐿️ 20   +60   +50   +30   80 🌰

❸
🐱 88   −40   −43   −45   45 🐟

3 ❶ (   )(   )(○)
❷ (○)(   )(   )
❸ (   )(○)(   )

4
5+5+4 = 14 친
9−3−2 = 4 내
7+5 = 12 하
4+6 = 10 게
2+1+4 = 7 지
10−8 = 2 자

친 하 게
지 내 자 !

5 ❶ 9   **❷** 33, 36, 39, 43, 46, 49
❸ 15개

6 ❶
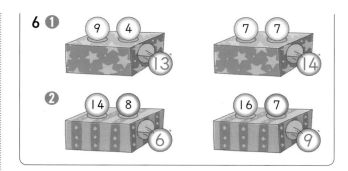

❷

1 ❶ ∩의 수가 6개, |의 수가 4개이므로 64입니다. 64는 육십사 또는 예순넷이라고 읽습니다.
∩의 수가 7개, |의 수가 6개이므로 76입니다. 76은 칠십육 또는 일흔여섯이라고 읽습니다.
❷ 80은 10개씩 묶음이 8개이므로 ∩을 8개 그립니다.
52는 10개씩 묶음이 5개, 낱개가 2개이므로 ∩을 5개, |을 2개 그립니다.

2 ❶ 30보다 낱개가 4개 더 많은 수가 34이므로 +4가 있는 길을 따라가야 합니다.
❷ 20보다 10개씩 묶음이 6개 더 많은 수가 80이므로 +60이 있는 길을 따라가야 합니다.
❸ 88보다 10개씩 묶음이 4개, 낱개가 3개 더 적은 수가 45이므로 −43이 있는 길을 따라가야 합니다.

3 ❶
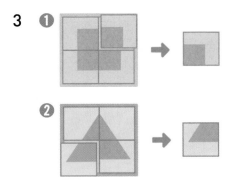

❷

❸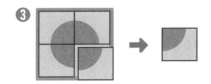

4 $5+5+4=14$, $9-3-2=4$,
   10 14 6 4

   $7+5=12$, $4+6=10$,
      3 2

   $2+1+4=7$, $10-8=2$
      3 7

   ➡ $\underset{친}{14}>\underset{하}{12}>\underset{게}{10}>\underset{지}{7}>\underset{내}{4}>\underset{자}{2}$

5 ❶ 터뜨린 풍선에 써 있는 수: 3, 6, 9, 13, 16, 19, 23, 26, 29
   ➡ 낱개의 수가 3, 6, 9인 수가 써 있는 풍선을 터뜨리는 규칙입니다.

   ❷ 31부터 50까지의 수 중 낱개의 수가 3, 6, 9인 수는 33, 36, 39, 43, 46, 49입니다.

   ❸ 3, 6, 9, 13, 16, 19, 23, 26, 29, 33, 36, 39, 43, 46, 49로 모두 15개입니다.

6 ❶ $8+4=12$, $5+9=14$이므로 두 수의 합이 나오는 규칙입니다.
   ➡ $9+4=13$,
      $7+7=14$

   ❷ $12-5=7$, $15-9=6$이므로 두 수의 차가 나오는 규칙입니다.
   ➡ $14-8=6$,
      $16-7=9$

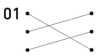
학력진단 전략 1회   **116~119쪽**

01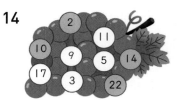

02 64

03 90원

04 45

05 40

06 (1) 94 (2) 66 (3) 76, 77

07 (1) 74, 76 (2) 88, 90, 91

08 (1) > (2) <

09 (1) 37 (2) 36

10 68개

11 82에 ○표, 66에 △표

12 57

13 >

14

15 준우

16

17 60개

18 $47-15=32$, 32장

19 25

20 58, 60, 69

---

01 60은 육십 또는 예순, 70은 칠십 또는 일흔, 80은 팔십 또는 여든이라고 읽습니다.

02 10개씩 묶음 6개와 낱개 4개는 64입니다.

03 10원짜리 동전이 9개이므로 90원입니다.

04 40＋5는 10개씩 묶음 4개와 낱개 5개이므로 40＋5＝45입니다.

05 10개씩 묶음 7개에서 10개씩 묶음 3개를 덜어 내면 10개씩 묶음 4개가 남습니다.
➡ 70－30＝40

06 (1) 93보다 1만큼 더 큰 수는 93 바로 뒤의 수이므로 94입니다.
(2) 67보다 1만큼 더 작은 수는 67 바로 앞의 수이므로 66입니다.
(3) 75－76－77－78
75와 78
사이의 수

07 (1) 72부터 수를 순서대로 씁니다.
(2) 87부터 수를 순서대로 씁니다.

08 (1) 10개씩 묶음의 수가 큰 수가 더 큽니다.
75 ⏵ 68
7＞6
(2) 10개씩 묶음의 수가 같으면 낱개의 수가 큰 수가 더 큽니다.
2＜9
82 ⏴ 89
같습니다.

09 낱개는 낱개끼리, 10개씩 묶음은 10개씩 묶음끼리 계산합니다.

10 10개씩 묶어서 세어 보면 10개씩 묶음 6개와 낱개 8개이므로 모두 68개입니다.

11 10개씩 묶음의 수가 가장 큰 82가 가장 큰 수이고, 10개씩 묶음의 수가 가장 작은 66이 가장 작은 수입니다.

12 25＋32＝57

13 30＋20＝50, 59－15＝44
➡ 50＞44

14 짝수는 둘씩 짝을 지을 수 있는 수이므로 2, 10, 14, 22입니다.

15 팔십오는 85이고 여든여덟은 88입니다.
➡ 85＜88이므로 준우가 줄넘기를 더 많이 했습니다.

16 40＋10＝50, 20＋30＝50,
40＋40＝80, 20＋50＝70,
30＋40＝70, 60＋20＝80

17 30＋30＝60(개)

18 미주가 모은 붙임딱지 수에서 윤재가 모은 붙임딱지 수를 뺍니다.
➡ 47－15＝32(장)

19 가장 큰 수는 56이고 가장 작은 수는 31입니다.
➡ 56－31＝25

20 ▨ 모양에 적힌 수는 53과 5입니다.
➡ 53＋5＝58
⬭ 모양에 적힌 수는 40과 20입니다.
➡ 40＋20＝60
⬤ 모양에 적힌 수는 32와 37입니다.
➡ 32＋37＝69

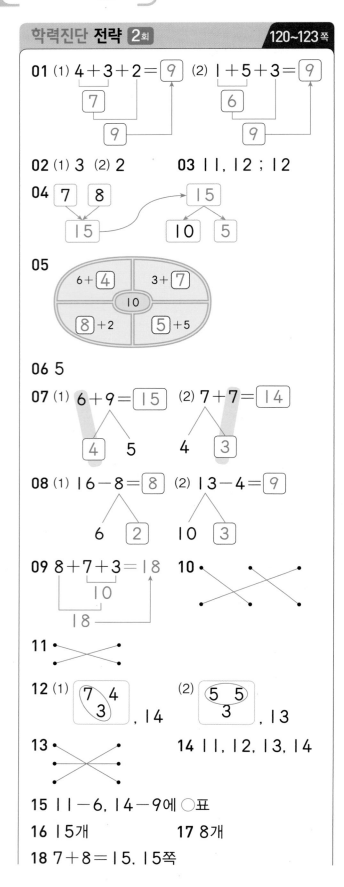

01 (1) $4+3+2=\boxed{9}$　(2) $1+5+3=\boxed{9}$
　　7　　　　　　6
　　9　　　　　　9

02 (1) 3 (2) 2　**03** 11, 12 ; 12

04 7　8　→　15
　　15　　10　5

05
6+$\boxed{4}$　3+$\boxed{7}$
10
$\boxed{8}$+2　$\boxed{5}$+5

06 5

07 (1) $6+9=\boxed{15}$　(2) $7+7=\boxed{14}$
　　　$\boxed{4}$　5　　　　4　$\boxed{3}$

08 (1) $16-8=\boxed{8}$　(2) $13-4=\boxed{9}$
　　　6　$\boxed{2}$　　　　10　$\boxed{3}$

09 $8+7+3=18$　**10**
　　　　10
　　　18

11

12 (1) 7 4 3 , 14　(2) 5 5 3 , 13

13　**14** 11, 12, 13, 14

15 $11-6$, $14-9$에 ○표

16 15개　　　**17** 8개

18 $7+8=15$. 15쪽

19 (위에서부터)
5, 5, 5

20
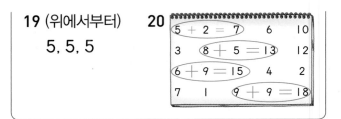

01 두 수를 더해 나온 수에 나머지 한 수를 더합니다.

02 (1) $8-2-3=3$　(2) $9-5-2=2$
　　　　6　　　　　　4
　　　　3　　　　　　2

03 9에서부터 3개의 수를 이어 세면 9하고 10, 11, 12이므로 12입니다.

04 오른쪽 수판에서 왼쪽 수판으로 3을 옮겨서 10을 만들면 10과 5가 되어 15가 됩니다. 15는 10과 5로 가르기 할 수 있습니다.

05 합이 10이 되는 두 수는 6과 4, 3과 7, 8과 2, 5와 5입니다.

06 $10-5=5$

07 (1) 10을 먼저 만들고 남은 5를 더하면 15입니다.
　　(2) 10을 먼저 만들고 남은 4를 더하면 14입니다.

08 (1) 16에서 6을 빼어 남은 수 10에서 2를 빼면 8이 됩니다.
　　(2) 10에서 4를 빼어 남은 수 6에 3을 더하면 9가 됩니다.

09 뒤의 두 수로 10을 만들어 계산합니다.

10 두 수를 더해 10을 만든 다음 남은 수를 더합니다. ➡ $3+6+4=3+10$, $8+2+6=10+6$, $1+9+4=10+4$

11 두 수를 바꾸어 더해도 결과가 같습니다.
➡ $4+9=9+4$, $7+8=8+7$

12 (1) 7과 3을 더해서 만든 수 10에 남은 수 4를 더하면 14입니다.
(2) 5와 5를 더해서 만든 수 10에 남은 수 3을 더하면 13입니다.

13 $8+3=11$, $5+7=12$, $9+9=18$

14 똑같은 수에 1씩 큰 수를 더하면 합도 1씩 커집니다.
$6+5=11$
$6+6=12$
$6+7=13$
$6+8=14$
1씩 커짐   1씩 커짐

15 $12-5=7$, $11-6=5$, $16-7=9$, $15-8=7$, $14-9=5$

16 $2+8+5=15$(개)

17 $13-5=8$(개)

18 $7+8=15$(쪽)

19 ↘ 방향으로 가면 빼지는 수와 빼는 수가 모두 1씩 커지므로 차는 항상 똑같습니다.
$11-6=5$, $12-7=5$, $13-8=5$, $14-9=5$

20 $8+5=13$, $6+9=15$, $9+9=18$

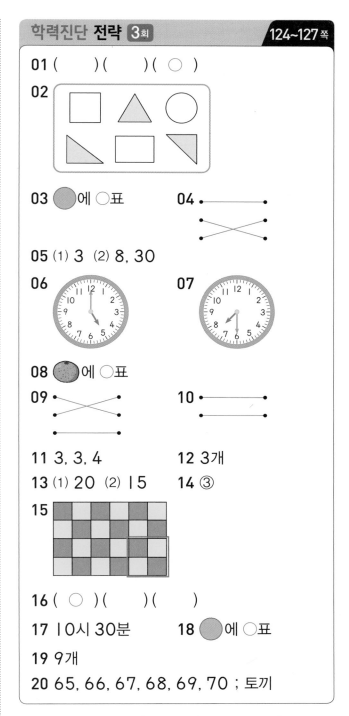

학력진단 **전략 3회**   124~127쪽

01 ( )( )(○)

02

03 ●에 ○표   **04**

05 (1) 3 (2) 8, 30

06   **07**

08 ●에 ○표

09   **10**

11 3, 3, 4   **12** 3개

13 (1) 20 (2) 15   **14** ③

15

16 (○)( )( )

17 10시 30분   **18** ●에 ○표

19 9개

20 65, 66, 67, 68, 69, 70 ; 토끼

01 트라이앵글은 △ 모양, 피자는 ● 모양, 태극기는 ■ 모양입니다.

02 □, □ 은 ■ 모양이고 ○ 은 ● 모양입니다.

정답 및 풀이

03 동전, 교통 표지판, 단추는 ⬤ 모양입니다.

04 뾰족한 곳이 ⬜ 모양은 4군데, 🔺 모양은 3군데 있습니다. ⬤ 모양은 뾰족한 곳이 없습니다.

05 (1) 짧은바늘이 3, 긴바늘이 12를 가리키므로 3시입니다.
(2) 짧은바늘이 8과 9 사이, 긴바늘이 6을 가리키므로 8시 30분입니다.

06 짧은바늘은 5, 긴바늘은 12를 가리키게 합니다.

07 짧은바늘은 7과 8 사이, 긴바늘은 6을 가리키게 합니다.

08 사과, 귤이 반복되므로 사과 다음에 올 것은 귤입니다.

09 캔을 본뜨면 ⬤ 모양, 우유갑을 본뜨면 ⬜ 모양, 조각 케이크를 본뜨면 🔺 모양이 나옵니다.

10

➡ 11시 30분   ➡ 11시 30분

➡ 12시 30분   ➡ 12시 30분

11 ⬜, 🔺, 🔺가 반복되고 ⬜는 4, 🔺는 3으로 나타냅니다.

12 ⬤ 모양은 ◯, ◯, ◯으로 모두 3개입니다.

13 (1) 12부터 시작하여 2씩 커지는 규칙입니다.
(2) 30부터 시작하여 5씩 작아지는 규칙입니다.

14 ①, ②, ④, ⑤는 ⬜ 모양이고 ③은 🔺 모양입니다.

15 첫째 줄은 빨간색, 노란색이 반복됩니다.
둘째 줄은 노란색, 빨간색이 반복됩니다.
셋째 줄은 빨간색, 노란색이 반복됩니다.
넷째 줄은 노란색, 빨간색이 반복됩니다.

16 주어진 그림은 ⬤ 모양의 일부분입니다.
➡ ⬤ 모양의 물건은 동전입니다.

17 짧은바늘이 10과 11 사이를 가리킬 때 11시로 읽지 않도록 주의합니다.

18 물감을 묻혀 찍으면 ⬤ 모양이 나옵니다.

19 ⬜ 모양에 ∨ 표시를 하면 다음과 같습니다.

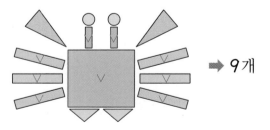

➡ 9개

20 --- 에 있는 수는 33−43−53−63으로 33부터 시작하여 10씩 커지는 규칙이 있습니다.
--- 에 있는 수는 34−45−56−67로 34부터 시작하여 11씩 커지는 규칙이 있습니다.

수학 문제해결력 강화 교재

2021 신간

AI인공지능을 이기는 인간의 **독해력** + **창의·사고력** UP

수학도
독해가 힘이다

새로운 유형	취약점 보완	체계적 시스템
문장제, 서술형, 사고력 문제 등 까다로운 유형의 문제를 쉬운 해결전략으로 연습	연산·기본 문제는 잘 풀지만, 문장제나 사고력 문제를 힘들어하는 학생들을 위한 맞춤 교재	문제해결력 – 수학 사고력 – 수학 독해력 – 창의·융합·코딩으로 이어지는 체계적 커리큘럼

수학도 독해가 필수!
(초등 1~6학년/학기용)

정답은
이안에
있어!